F|

C000257661

ATLAS ROUTIER

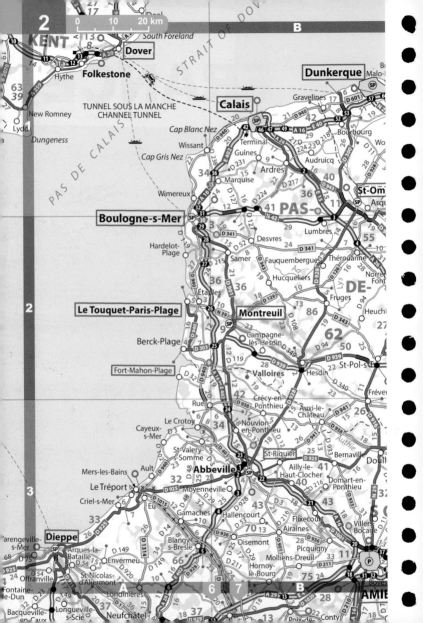

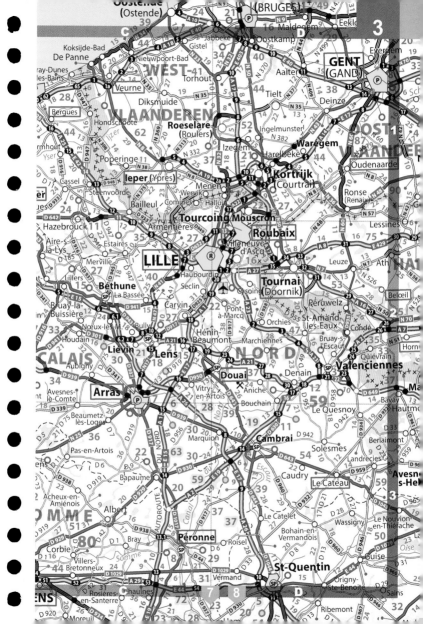

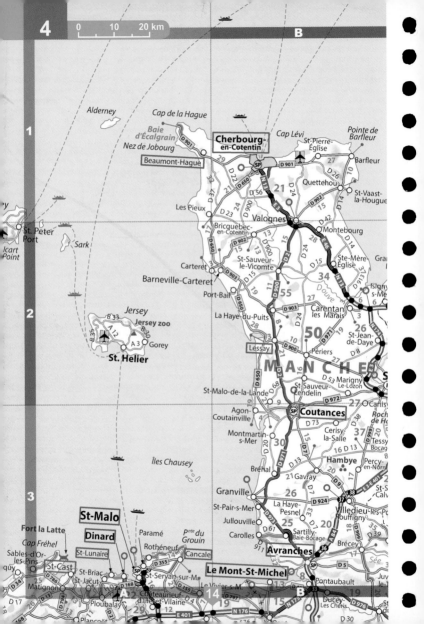

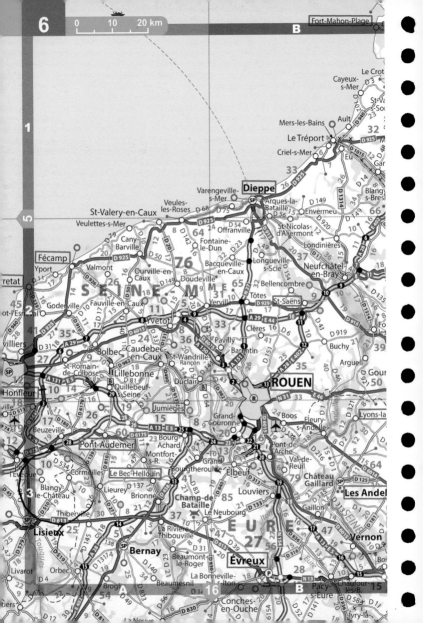

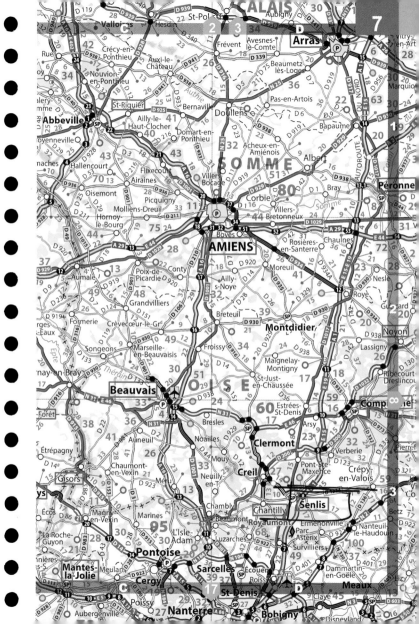

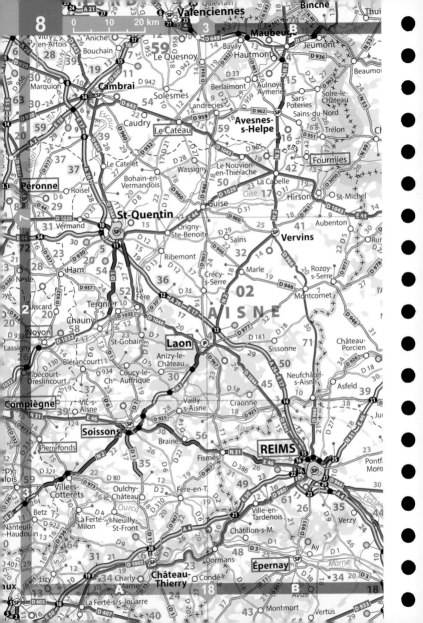

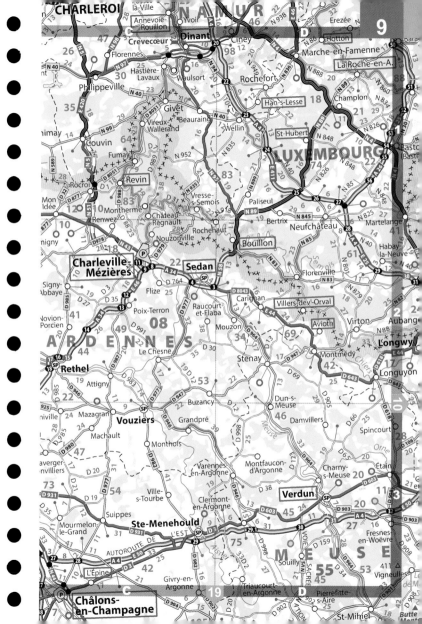

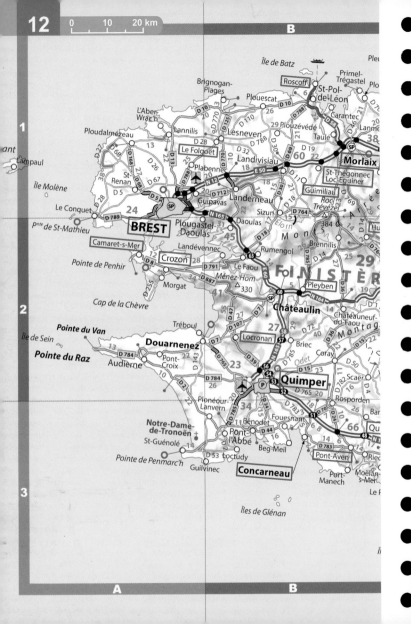

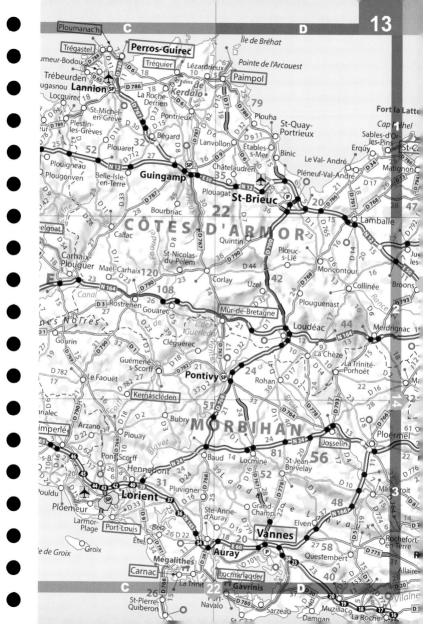

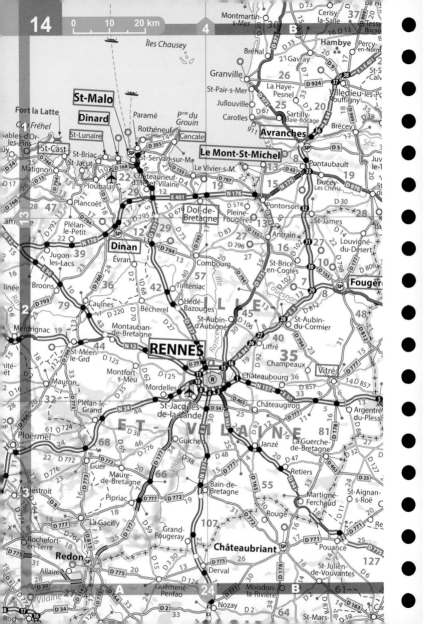

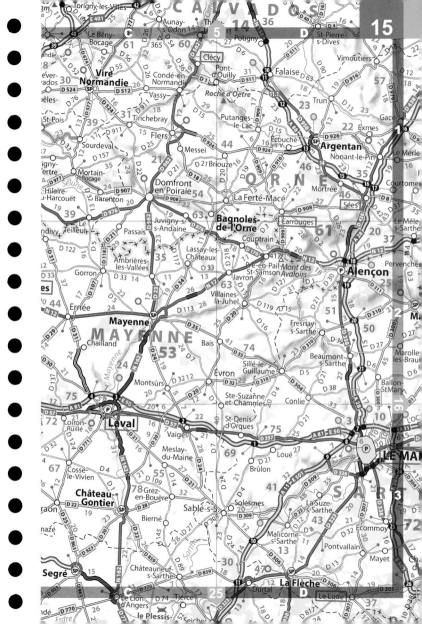

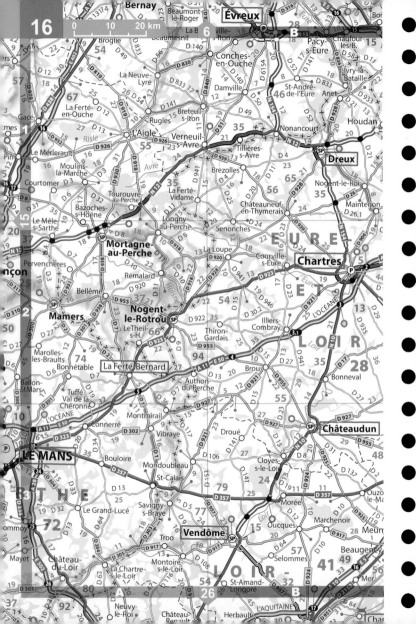

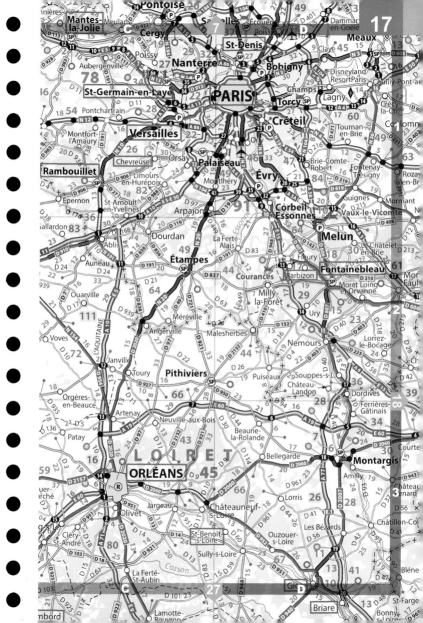

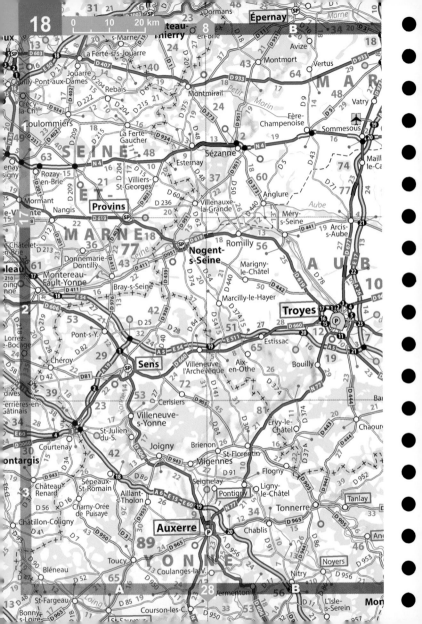

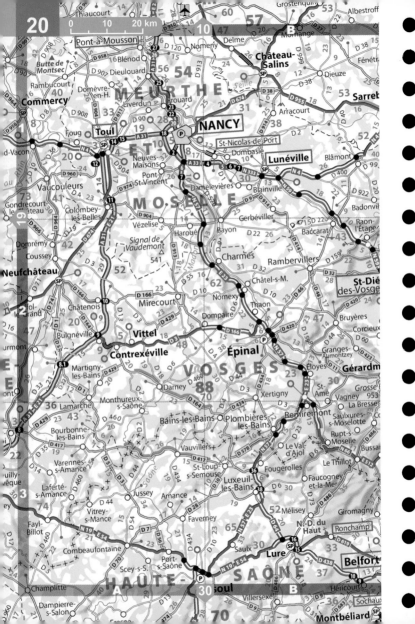

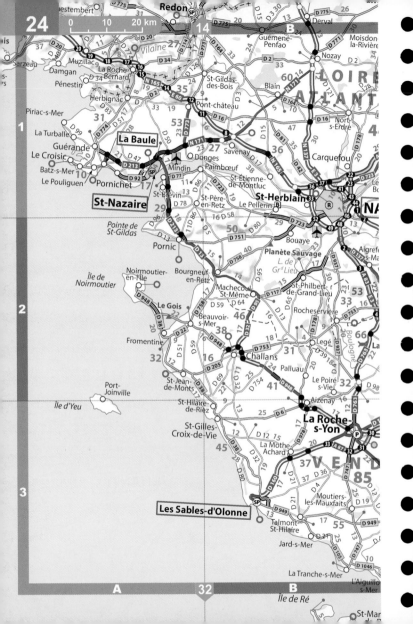

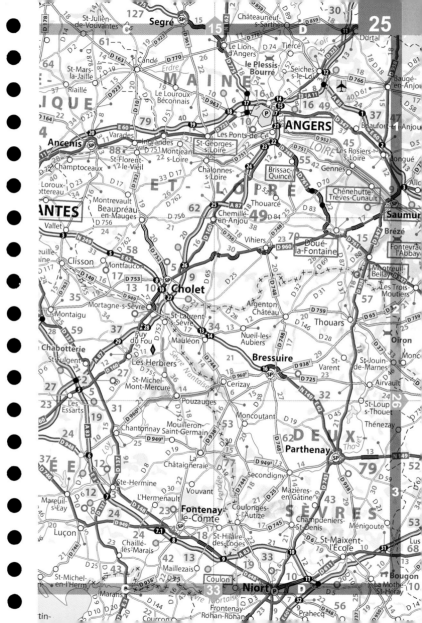

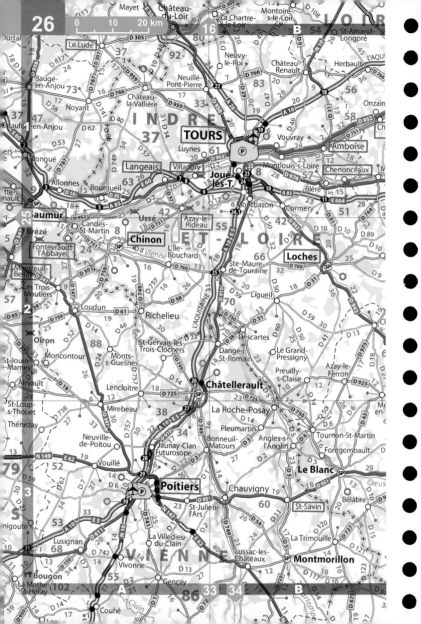

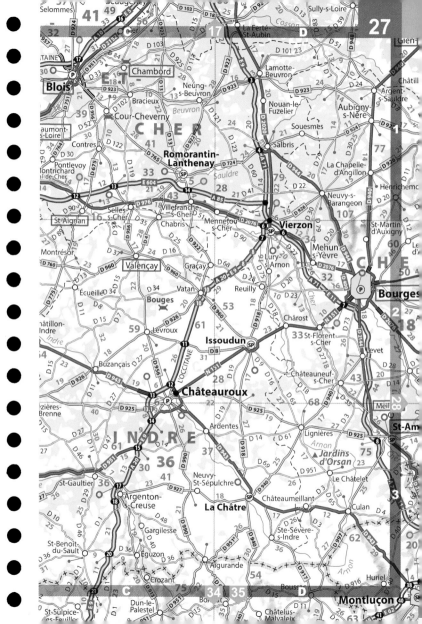

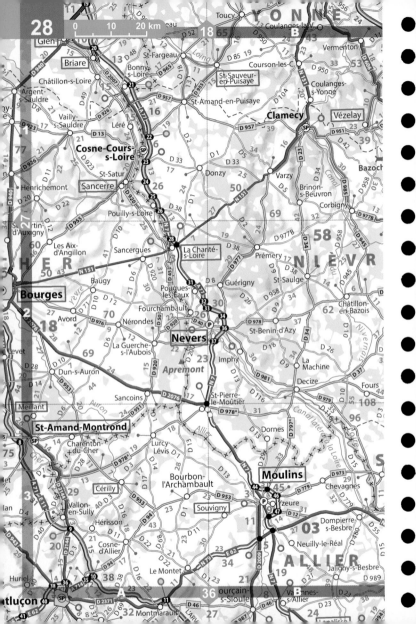

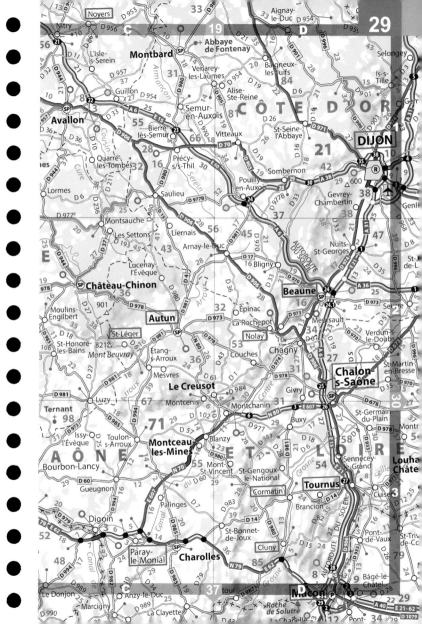

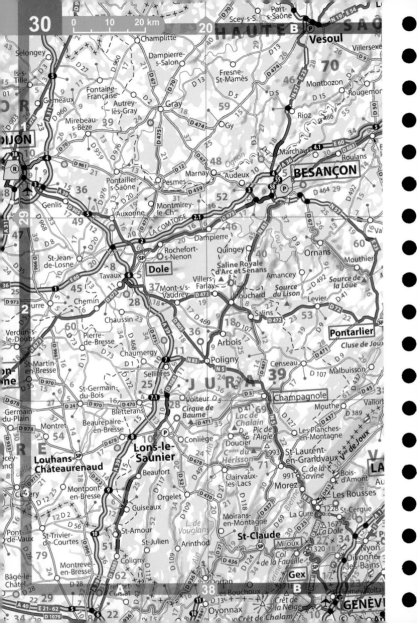

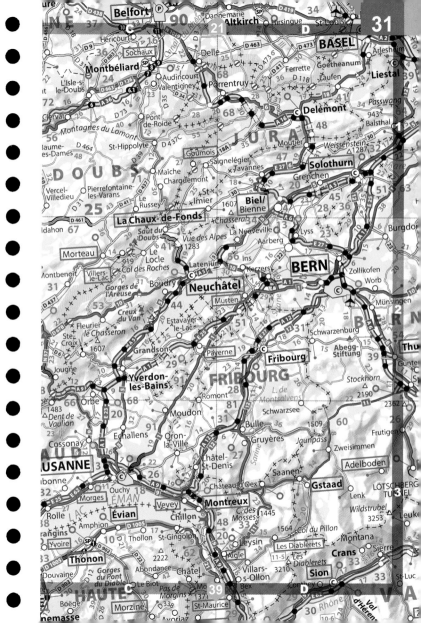

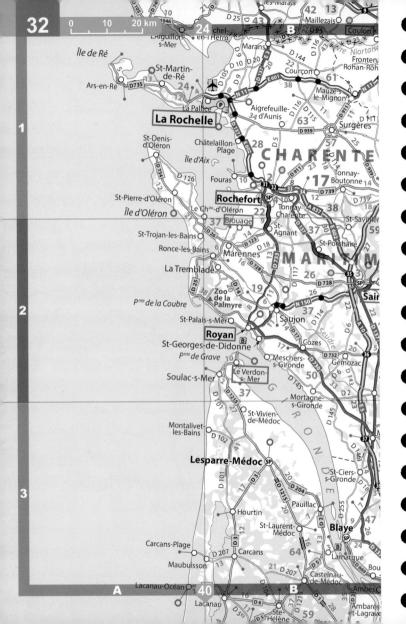

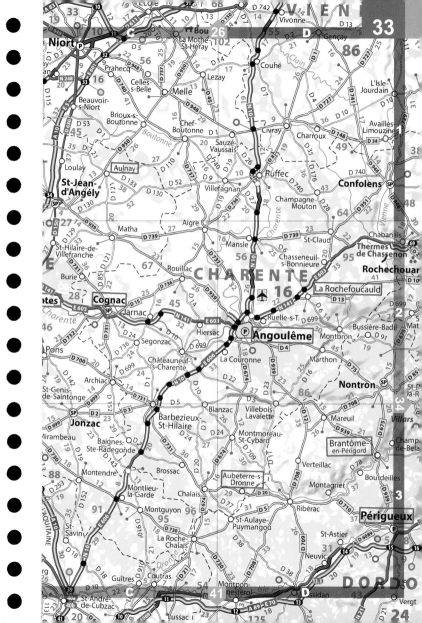

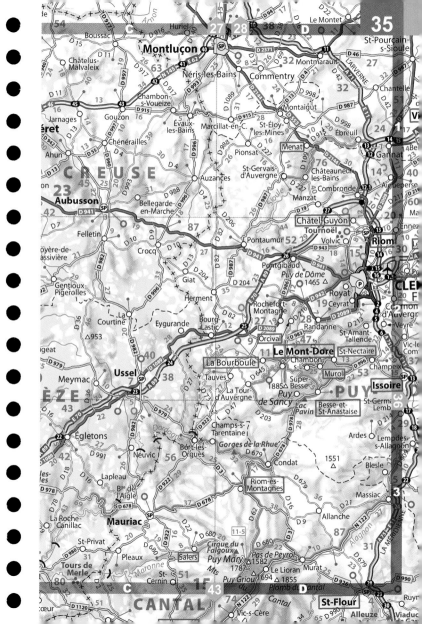

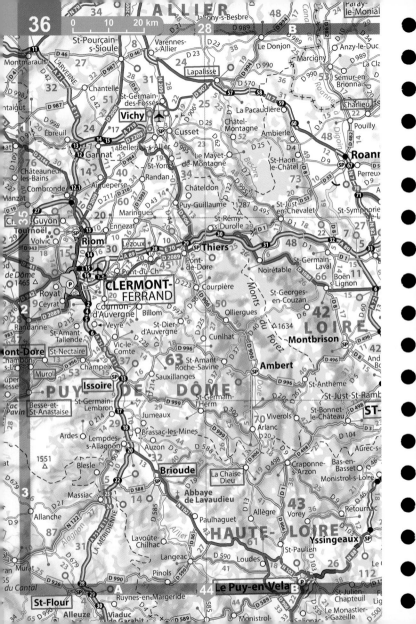

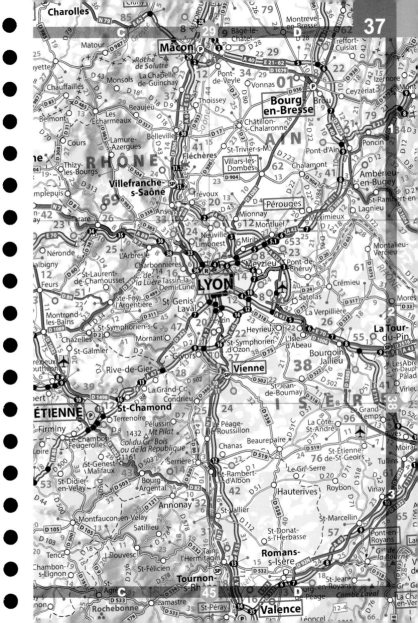

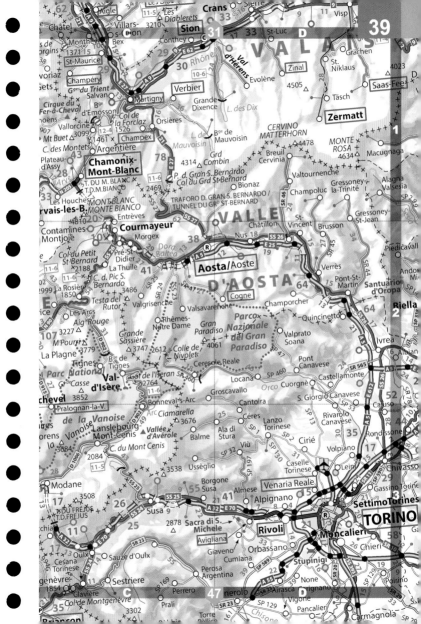

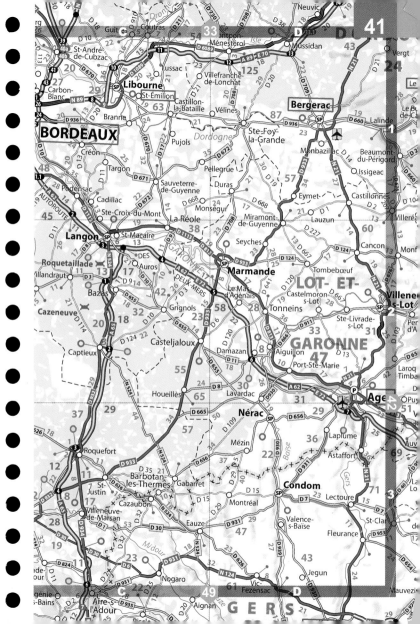

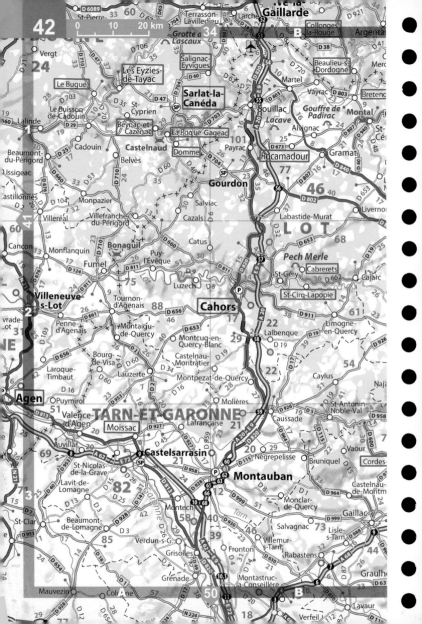

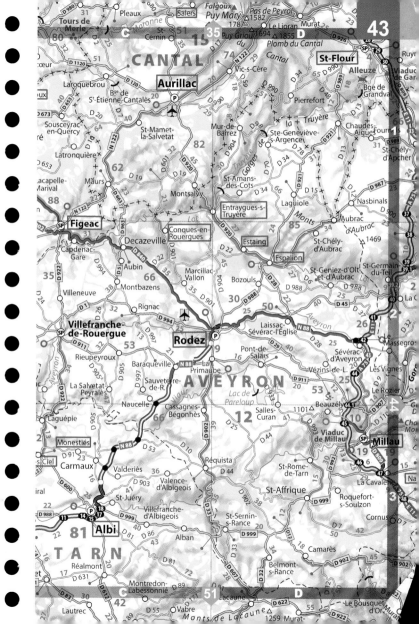

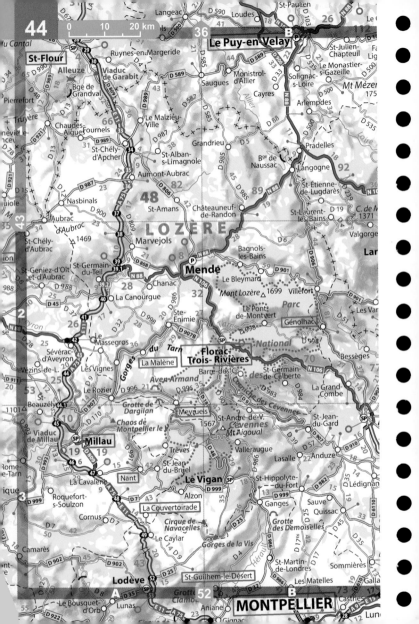

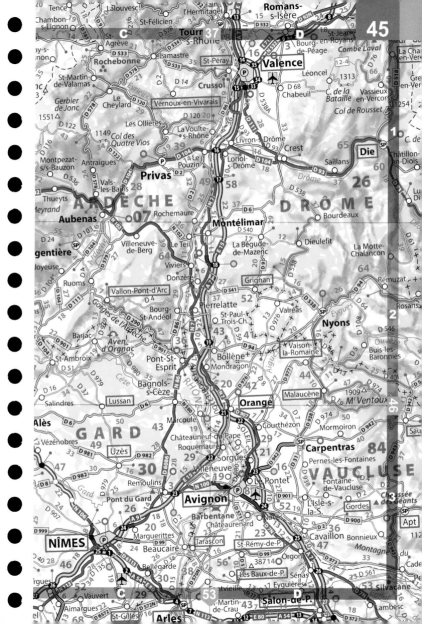

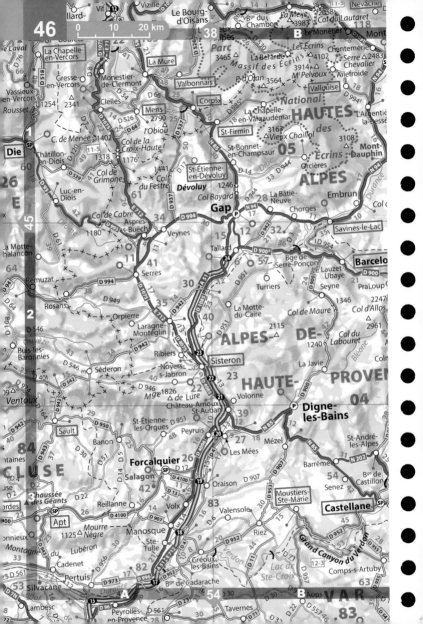

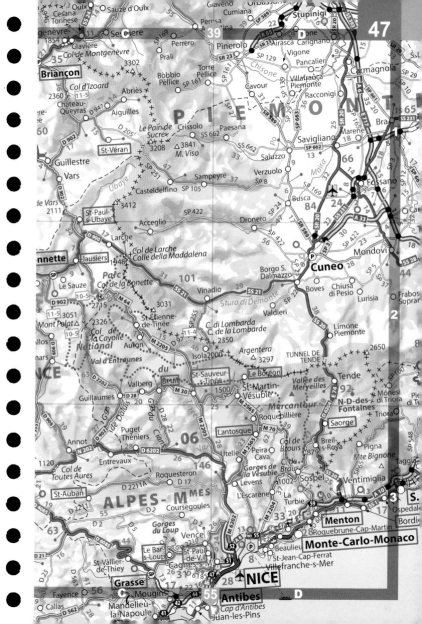

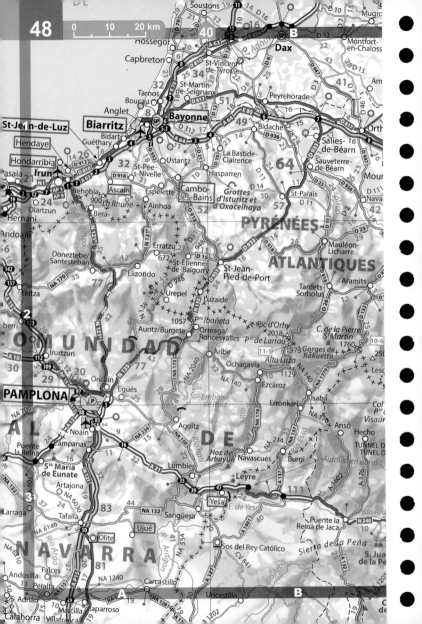

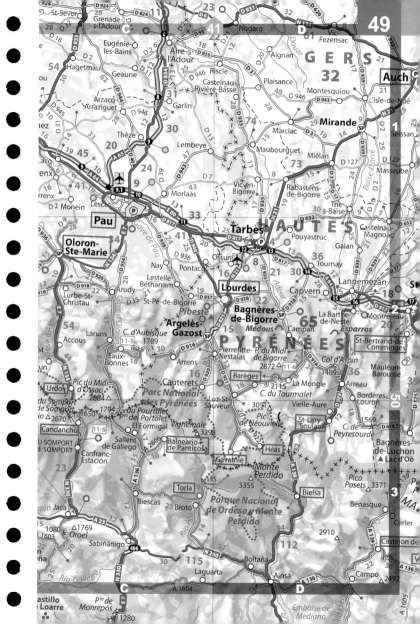

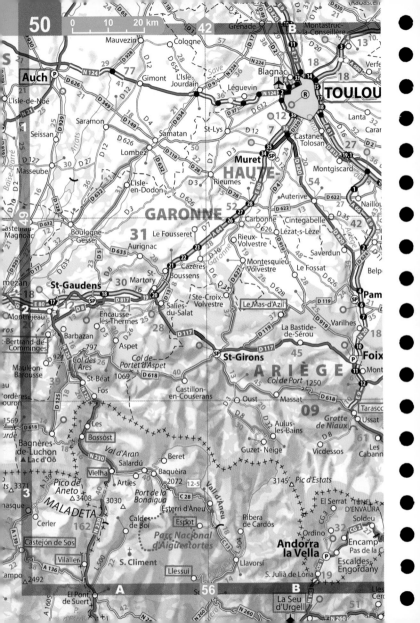

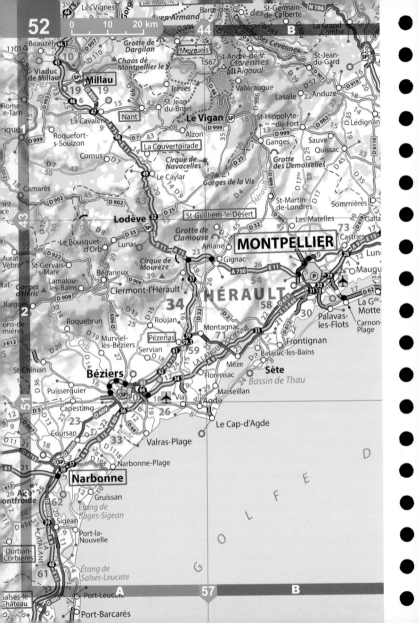

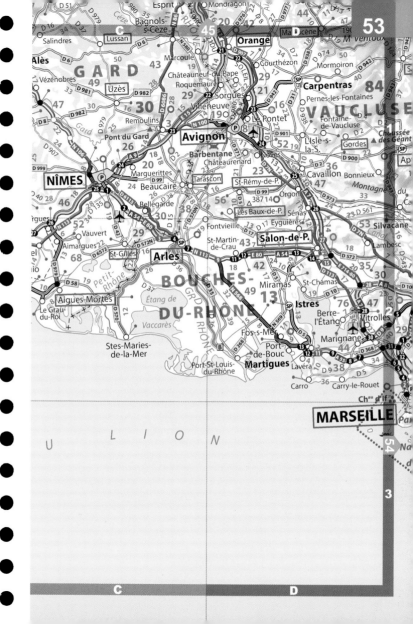

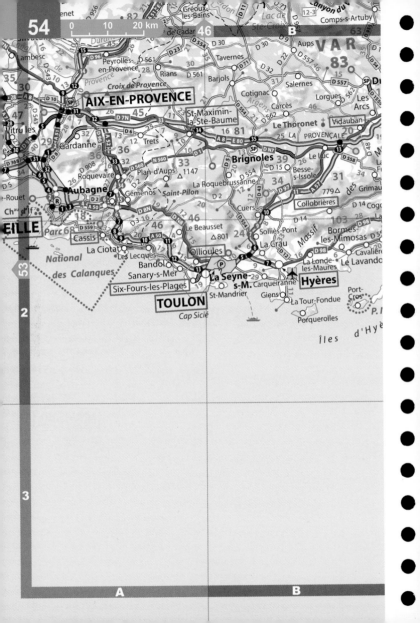

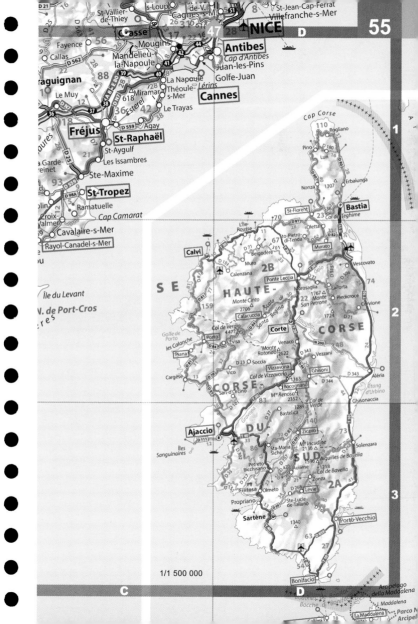

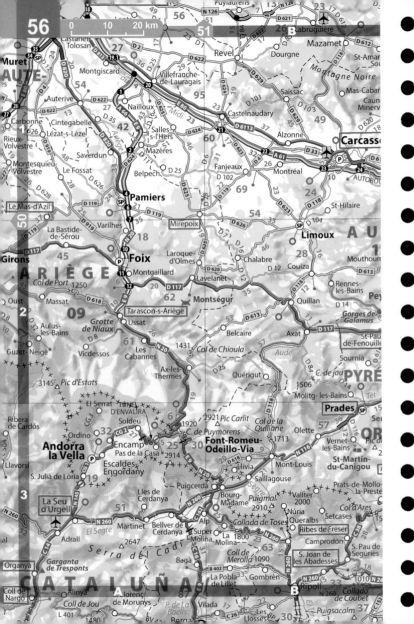

	Amiens	Angers	Bayonne	Besançon	Bordeaux	Brest	Caen	Calais	Cherbourg-Octeville	Clermont-Ferrand	Dijon	Grenoble	Le Havre	Lille	Limoges
Amiens															
Angers	421														
Bayonne	903	564													
Besançon	558	649	914												
Bordeaux	724	384	192	736											
Brest	628	378	831	962	633										
Caen	256	253	795	649	616	375									
Calais	160	512	1054	655	875	719	347								
Cherbourg-Octeville	377	372	878	771	681	423	124	467							
Clermont-Ferrand	558	448	561	370	381	824	601	713	720						
Dijon	474	551	836	97	673	862	548	573	670	308					
Grenoble	709	727	823	315	686	1103	806	871	928	297	303				
Le Havre	185	330	872	611	692	469	96	275	218	574	512	769			
Lille	122	513	987	583	807	762	390	114	512	642	495	797	319		
Limoges	526	265	408	499	228	605	490	682	609	237	436	542	540	611	
Lyon	602	607	774	229	595	983	698	763	820	205	195	114	661	693	450
Le Mans	335	96	634	578	454	397	166	425	285	440	479	719	243	427	329
Marseille	913	908	698	541	648	1283	1010	1075	1132	477	507	309	973	1005	694
Metz	368	620	1093	268	919	917	571	467	693	569	262	564	543	367	723
Montpellier	885	775	532	526	482	1120	928	1041	1047	338	492	293	899	970	528
Mulhouse	554	774	1038	137	859	1028	714	697	836	493	222	436	676	597	621
Nancy	383	666	1084	209	905	897	586	482	708	515	208	509	557	419	642
Nantes	508	89	516	752	336	298	293	598	339	536	653	814	385	601	352
Nice	1077	1071	861	704	812	1447	1174	1239	1296	641	671	330	1136	1168	858
Orléans	269	245	647	418	467	591	321	425	443	300	319	576	283	354	269
Paris	135	297	771	415	591	594	234	297	357	426	316	573	197	226	395
Perpignan	982	754	498	676	448	1086	978	1137	1097	435	643	444	996	1066	494
Reims	174	431	905	380	725	728	382	273	505	535	292	594	348	203	529
Rennes	441	130	630	725	450	243	188	531	235	596	625	875	280	574	417
Rouen	124	299	841	546	661	501	128	214	251	509	447	704	91	257	478
St-Étienne	660	576	715	288	535	952	729	822	848	146	254	154	700	751	391
Strasbourg	524	775	1151	250	971	1072	726	623	849	606	335	531	698	523	733
Toulon	976	971	761	604	711	1347	1073	1138	1195	540	570	330	1036	1068	757
Toulouse	812	551	300	737	245	883	775	967	894	383	674	532	826	896	291
Tours	373	124	534	521	355	497	264	523	383	341	422	619	341	457	229

Distances

Les distances sont comptées à partir du centre-ville et par la route la plus pratique, c'est-à-dire celle qui offre les meilleures conditions de roulage, mais qui n'est pas nécessairement la plus courte.

| Orléans ←→ Dijon = | 319 *km* |

Lyon	*Le Mans*	*Marseille*	*Metz*	*Montpellier*	*Mulhouse*	*Nancy*	*Nantes*	*Nice*	*Orléans*	*Paris*	*Perpignan*	*Reims*	*Rennes*	*Rouen*	*St-Étienne*	*Strasbourg*	*Toulon*	*Toulouse*	*Tours*
569																			
316	892																		
457	532	769																	
300	760	168	753																
381	643	696	233	683															
403	505	715	56	700	178														
694	186	972	706	806	864	720													
479	1056	213	932	332	686	881	1134												
469	144	760	464	624	545	451	331	915											
466	209	778	333	750	481	347	384	934	134										
451	810	320	904	155	835	853	771	475	724	850									
488	343	800	192	786	381	206	518	955	268	145	935								
776	161	1056	679	920	793	661	110	1211	353	357	886	490							
597	211	910	481	833	615	495	385	1065	217	132	933	292	313						
63	561	335	515	320	441	465	663	491	428	526	470	548	724	636					
494	687	808	163	793	116	156	862	789	586	489	943	349	834	637	550				
379	955	64	831	232	763	781	1034	150	823	842	382	864	1119	972	397	873			
539	607	407	935	243	864	885	568	563	554	680	208	813	684	762	419	973	470		
469	96	800	563	665	648	555	210	956	117	241	718	374	259	310	468	693	863	514	

Localité ⟶ Achmelvich ....**84** E 9 ⟵ Coordonnées de carroyage

Numéro de page

A

Abbeville.............................2 **B 3**
L'Aber-Wrac'h.....................12 **A 1**
Ablis.................................17 **C 2**
Abondance.........................31 **C 3**
Abreschviller ....21 **C 1**
Les Abrets-en-Dauphiné......38 **A 2**
Abriès ....47 **C 1**
Accous..............................49 **C 2**
Acheux-en-Amiénois ....3 **C 3**
Agay.................................55 **C 1**
Agde.................................52 **A 3**
Agen.................................41 **D 3**
Agon-Coutainville ....4 **B 3**
Ahun.................................35 **C 1**
L'Aigle ....16 **A 1**
Aignan..............................49 **D 1**
Aignay-le-Duc.....................19 **D 3**
Aigre.................................33 **D 2**
Aigrefeuille-d'Aunis ....32 **B 1**
Aigrefeuille-sur-Maine.........23 **D 3**
Aiguebelette-le-Lac ....38 **A 2**
Aiguebelle.........................38 **B 2**
Aigueperse.........................36 **A 1**
Aigues-Mortes.....................53 **C 2**
Aiguilles ....47 **C 1**
Aiguillon ....41 **D 2**
L'Aiguillon-sur-Mer ....25 **A 3**
Aigurande...........................27 **C 3**
Ailefroide...........................46 **B 1**
Aillant-sur-Tholon ....18 **A 3**
Ailly-le-Haut-Clocher ....2 **B 3**
Ailly-sur-Noye ....7 **D 2**
Aimargues..........................53 **C 2**
Aime-la-Plagne....................39 **C 2**
Ainhoa ....48 **A 1**
Airaines ....2 **B 3**
Aire-sur-la-Lys ....3 **C 2**
Aire-sur-l'Adour..................49 **C 1**
Airvault.............................25 **D 2**
Les Aix-d'Angillon ....28 **A 2**
Aix-en-Othe........................18 **B 2**
Aix-en-Provence..................54 **A 1**
Aix-les-Bains.......................38 **A 2**
Aixe-sur-Vienne ....34 **A 2**
Aizenay..............................24 **B 3**

Ajaccio ....55 **D 3**
Alban.................................43 **C 3**
Albens...............................38 **A 2**
Albert ....3 **C 3**
Albertville...........................38 **B 2**
Albestroff ....10 **B 3**
Albi...................................43 **C 3**
Alby-sur-Chéran..................38 **A 2**
Alençon.............................15 **D 2**
Aléria................................55 **D 2**
Alès..................................44 **B 3**
Alise-Ste-Reine....................29 **D 1**
Allaire...............................23 **C 2**
Allanche............................35 **D 3**
Allègre..............................36 **B 3**
Allevard.............................38 **B 3**
Allonnes...........................26 **A 1**
Allos.................................47 **C 2**
Alpe-d'Huez........................38 **B 3**
Altkirch.............................21 **C 3**
Alvignac............................42 **B 1**
Alzon................................44 **A 3**
Alzonne.............................51 **C 2**
Amance.............................20 **A 3**
Amancey............................30 **B 2**
Ambarès-et-Lagrave.............41 **C 1**
Ambazac............................34 **B 1**
Ambérieu-en-Bugey.............37 **D 1**
Ambert..............................36 **B 2**
Ambès...............................41 **C 1**
Ambierle............................36 **B 1**
Amboise.............................26 **B 1**
Ambrières-les-Vallées...........15 **C 2**
Amélie-les-Bains-Palalda.......57 **C 3**
Amiens................................2 **B 3**
Amilly................................17 **D 3**
Amou.................................48 **B 1**
Amphion............................31 **C 3**
Amplepuis..........................37 **C 1**
Ancenis.............................23 **D 3**
Ancerville...........................19 **D 1**
Ancy-le-Franc......................18 **B 3**
Andelot..............................19 **D 2**
Les Andelys..........................6 **B 3**
Andernos-les-Bains..............40 **B 1**
Andrézieux-Bouthéon...........37 **C 2**
Anduze...............................44 **B 3**

Anet..................................16 **B 1**
Angers...............................25 **D 1**
Angerville...........................17 **C 2**
Anglès...............................51 **D 1**
Angles-sur-l'Anglin ....26 **B 3**
Anglet...............................48 **A 1**
Anglure..............................18 **B 1**
Angoulême.........................33 **D 2**
Aniane...............................52 **B 2**
Aniche.................................3 **D 2**
Anizy-le-Château...................8 **A 2**
Annecy..............................38 **B 1**
Annemasse.........................38 **B 1**
Annonay............................37 **C 3**
Annot................................47 **C 3**
Anse.................................37 **C 1**
Antibes..............................55 **D 1**
Antraigues.........................45 **C 1**
Antrain.............................14 **B 2**
Anzy-le-Duc........................36 **B 1**
Apt...................................46 **A 3**
Aramits.............................48 **B 2**
Arbois...............................30 **B 2**
L'Arbresle...........................37 **C 2**
Arc-en-Barrois.....................19 **D 3**
Arcachon............................40 **A 1**
Archiac..............................33 **C 2**
Arcis-sur-Aube.....................18 **B 2**
Les Arcs (Savoie)..................39 **C 2**
Les Arcs (Var)......................55 **C 1**
Ardentes............................27 **C 2**
Ardes................................36 **A 3**
Ardres.................................2 **B 1**
Arès..................................40 **B 1**
Argelès-Gazost.....................49 **D 2**
Argelès-sur-Mer...................57 **D 3**
Argent-sur-Sauldre ....27 **D 1**
Argentan.............................5 **D 3**
Argentat.............................35 **C 3**
Argentière..........................39 **C 1**
L'Argentière-la-Bessée...........46 **B 1**
Argenton-Château ....25 **D 2**
Argenton-sur-Creuse ....27 **C 3**
Argentré-du-Plessis ....14 **B 3**
Argueil................................6 **B 2**
Arinthod............................30 **A 3**
Arlanc...............................36 **B 3**

Arlempdes ....44 B 1
Arles ....53 C 2
Arles-sur-Tech ....57 C 3
Armentières ....3 C 2
Arnac-Pompadour ......34 B 3
Arnay-le-Duc ....29 D 2
Arpajon ....17 D 1
Arques ....2 B 2
Arques-la-Bataille .....6 B 2
Arracourt ....20 B 1
Arras ....3 C 3
Arreau ....49 D 2
Arrens ....49 C 2
Arromanches ....5 C 2
Ars ....10 A 3
Ars-en-Ré ....32 A 1
Arsy ....7 D 3
Artenay ....17 C 3
Arudy ....49 C 2
Arzacq-Arraziguet .....49 C 1
Arzano ....13 C 3
Ascain ....48 A 1
Asfeld ....8 B 2
Aspet ....50 A 2
Aspres-sur-Buëch ......46 A 2
Astaffort ....41 D 3
Attigny ....9 C 2
Aubagne ....54 A 1
Aubenas ....45 C 1
Aubenton ....8 B 2
Aubergenville ....17 C 1
Auberive ....19 D 3
Aubeterre-sur-Dronne ..33 D 3
Aubigny ....3 C 2
Aubigny-sur-Nère ......27 D 1
Aubin ....43 C 2
Aubrac ....43 D 2
Aubusson ....35 C 1
Auch ....50 A 1
Audenge ....40 B 1
Audeux ....30 B 1
Audierne ....12 A 2
Audincourt ....31 C 1
Audruicq ....2 B 1
Audun-le-Roman ....10 A 3
Audun-le-Tiche ....10 A 2
Aullène ....55 D 3
Aulnay ....33 C 1
Aulnoye-Aymeries ......8 B 1
Ault ....2 A 3
Aulus-les-Bains ....50 B 3

Aumale ....7 C 2
Aumetz ....10 A 2
Aumont-Aubrac ....44 A 1
Aunay-sur-Odon ....5 C 3
Auneau-Bleury-
  St-Symphorien ....17 C 2
Auneuil ....7 C 3
Aups ....54 B 1
Auray ....13 D 3
Aurec-sur-Loire ....37 C 3
Aurignac ....50 A 2
Aurillac ....43 C 1
Auron ....47 C 2
Auros ....41 C 2
Auterive ....50 B 1
Authon-du-Perche .....16 A 2
Autrans ....38 A 3
Autrey-lès-Gray ....30 A 1
Autun ....29 C 2
Auvillar ....42 A 3
Auxerre ....18 B 3
Auxi-le-Château ....2 B 3
Auxonne ....30 A 2
Auzances ....35 C 1
Auzon ....36 A 3
Availles-Limouzine ....33 D 1
Avallon ....29 C 1
Avesnes-le-Comte ....3 C 3
Avesnes-sur-Helpe ......8 B 1
Avignon ....45 D 3
Avioth ....9 D 2
Avize ....18 B 1
Avord ....28 A 2
Avoriaz ....39 C 1
Avranches ....4 B 3
Ax-les-Thermes ....51 C 3
Axat ....51 C 3
Ay-Champagne ....8 B 3
Azay-le-Ferron ....26 B 2
Azay-le-Rideau ....26 A 1

B

Baccarat ....20 B 2
Bacqueville-en-Caux ....6 B 2
Badonviller ....21 C 1
Bâgé-le-Châtel ....37 D 1
Bagnères-de-Bigorre ...49 D 2
Bagnères-de-Luchon ...50 A 3
Bagnoles-de-l'Orne ....15 D 2
Bagnols-les-Bains .....44 B 2
Bagnols-sur-Cèze ......45 C 3

Baignes-Sainte-Radegonde .33 C 3
Baigneux-les-Juifs ....29 D 1
Bailleul ....3 C 2
Bain-de-Bretagne ......14 B 3
Bains-les-Bains ....20 B 3
Bais ....15 D 2
Balaruc-les-Bains .....52 B 2
Balbigny ....37 C 2
Balleroy-sur-Drôme .....5 C 2
Ballon-Saint Mars .....15 D 2
Bandol ....54 A 2
Bannalec ....12 B 3
Banon ....46 A 3
Banyuls-sur-Mer ....57 D 3
Bapaume ....3 C 3
Bar-le-Duc ....19 D 1
Bar-sur-Aube ....19 C 2
Le Bar-sur-Loup ....47 C 3
Bar-sur-Seine ....19 C 3
Baraqueville ....43 C 2
Barbazan ....50 A 2
Barbezieux-Saint-Hilaire .33 C 3
Barbizon ....17 D 2
Barbotan-les-Thermes ..41 C 3
Barcelonnette ....47 C 3
Barèges ....49 D 2
Barentin ....6 B 2
Barenton ....15 C 1
Barfleur ....4 B 1
Barjac ....45 C 2
Barjols ....54 B 1
Barneville-Carteret ....4 B 2
Barr ....21 C 2
Barre-des-Cévennes ....44 B 2
Barrême ....46 B 3
La Barthe-de-Neste ....49 D 2
Bas-en-Basset ....36 B 3
La Bassée ....3 C 2
Bassens ....41 C 2
Bastelica ....55 D 3
Bastia ....55 D 1
La Bastide-Clairence ..48 B 1
La Bastide-de-Sérou ...50 B 2
La Bâtie-Neuve ....46 B 1
Batz-sur-Mer ....22 B 3
Baud ....13 D 3
Baugé-en-Anjou ....25 D 1
Baugy ....28 A 2
La Baule ....22 B 3
Baume-les-Dames ......31 C 1
Les Baux-de-Provence ..53 D 2

A
B
C
D
E
F
G
H
I
J
K
L
M
N
O
P
Q
R
S
T
U
V
W
X
Y
Z

A
B
C
D
E
F
G
H
I
J
K
L
M
N
O
P
Q
R
S
T
U
V
W
X
Y
Z

Bavay...............................8 **B 1**
Bayeux.............................5 **C 2**
Bayon.............................20 **B 2**
Bayonne..........................48 **A 1**
Bazas..............................41 **C 2**
Bazoches-sur-Hoëne.......16 **A 2**
Beaucaire.........................45 **C 3**
Beaufort (Jura)...............30 **A 3**
Beaufort (Savoie)............38 **B 2**
Beaufort-en-Vallée..........25 **D 1**
Beaugency.......................17 **C 3**
Beaujeu...........................37 **C 1**
Beaulieu..........................47 **D 3**
Beaulieu-sur-Dordogne.....42 **B 1**
Beaumesnil........................6 **A 3**
Beaumetz-lès-Loges..........3 **C 3**
Beaumont..........................7 **D 3**
Beaumont-de-Lomagne.....42 **A 3**
Beaumont-du-Périgord.....42 **A 1**
Beaumont-Hague...............4 **A 1**
Beaumont-le-Roger...........6 **A 3**
Beaumont-sur-Sarthe......15 **D 2**
Beaune...........................29 **D 2**
Beaune-la-Rolande...........17 **D 3**
Beaupréau-en-Mauges.....25 **C 2**
Beaurepaire.....................37 **D 3**
Beaurepaire-en-Bresse.....30 **A 3**
Le Beausset.....................54 **A 2**
Beauvais............................7 **C 3**
Beauvoir-sur-Mer............24 **A 2**
Beauvoir-sur-Niort..........33 **C 1**
Le Bec-Hellouin................6 **A 3**
Bécherel..........................14 **C 1**
Bédarieux.......................52 **A 2**
Beg-Meil.........................12 **B 3**
Bégard............................13 **C 1**
La Bégude-de-Mazenc.....45 **D 2**
Bélâbre...........................26 **B 3**
Belcaire..........................51 **C 3**
Belfort............................21 **C 3**
Belgodère........................55 **D 2**
Belin...............................40 **B 2**
Bellac.............................34 **A 1**
Belle-Isle-en-Terre..........13 **C 1**
Bellegarde (Gard)...........53 **C 1**
Bellegarde (Loiret).........17 **D 3**
Bellegarde-en-Marche.....35 **C 1**
Bellegarde-sur-Valserine..38 **A 1**
Bellême..........................16 **A 2**
Bellencombre....................6 **B 2**
Bellerive-sur-Allier..........36 **A 1**

Belleville.........................37 **C 1**
Belley.............................38 **A 2**
Belmont..........................37 **C 1**
Belmont-sur-Rance..........43 **D 3**
Belpech...........................51 **C 2**
Belvès............................42 **A 1**
Belz................................13 **C 3**
Bénévent-l'Abbaye..........34 **B 1**
Benfeld...........................21 **D 2**
Bénodet..........................12 **B 3**
Le Bény-Bocage................5 **C 3**
La Bérarde......................46 **B 1**
Berck-Plage.......................2 **A 2**
Bergerac.........................41 **D 1**
Bergues............................3 **C 1**
Berlaimont........................8 **B 1**
Bernaville.........................2 **B 3**
Bernay..............................6 **A 3**
Berre-l'Étang...................53 **D 2**
Besançon........................30 **B 1**
Besse-et-Saint-Anastaise...35 **D 3**
Besse-sur-Issole..............54 **B 1**
Bessèges.........................44 **B 2**
Bessines-sur-Gartempe....34 **B 1**
Béthune............................3 **C 2**
Betz.................................8 **A 3**
Beuil..............................47 **C 2**
Beuzeville..........................6 **A 3**
Beynac-et-Cazenac.........42 **A 1**
Beynat............................34 **B 3**
Les Bézards.....................17 **D 3**
Béziers...........................52 **A 3**
Biarritz...........................48 **A 1**
Bidache...........................48 **B 1**
Bidart.............................48 **A 1**
Bierné............................15 **C 3**
Bierre-lès-Semur.............29 **C 1**
Billom.............................36 **A 2**
Binic...............................13 **D 1**
Le Biot...........................38 **B 1**
Biscarrosse.....................40 **A 2**
Biscarrosse-Plage............40 **A 2**
Bischwiller......................21 **D 1**
Bitche.............................11 **C 3**
Blagnac..........................50 **B 1**
Blain..............................23 **C 2**
Blainville.........................20 **B 1**
Blâmont..........................20 **B 1**
Le Blanc.........................26 **B 3**
Blangy-le-Château............6 **A 3**
Blangy-sur-Bresle.............2 **A 3**

Blanquefort.....................40 **B 1**
Blanzac...........................33 **D 3**
Blanzy............................29 **D 3**
Blaye..............................32 **B 3**
Bléneau..........................18 **A 3**
Blénod............................20 **A 1**
Bléré..............................26 **B 1**
Blesle.............................36 **A 3**
Bletterans......................30 **A 3**
Le Bleymard....................44 **B 2**
Bligny............................29 **D 2**
Blois...............................27 **C 1**
Blonville-sur-Mer..............5 **D 2**
Bobigny..........................17 **D 1**
Bocognano......................55 **D 2**
Boëge.............................38 **B 1**
Boën-sur-Lignon..............36 **B 2**
Bohain-en-Vermandois......3 **D 3**
Bois-d'Amont..................30 **B 3**
Bolbec.............................6 **A 2**
Bollène...........................45 **D 2**
Bologne..........................19 **D 2**
Bonifacio........................55 **D 3**
Bonnat............................34 **B 1**
Bonnétable......................16 **A 2**
Bonneuil-Matours............26 **B 3**
Bonneval.........................16 **B 2**
Bonneval-sur-Arc............39 **C 3**
Bonneville.......................38 **B 1**
La Bonneville-sur-Iton.....16 **B 1**
Bonnières-sur-Seine..........7 **C 3**
Bonnieux.........................53 **D 1**
Bonny-sur-Loire..............28 **A 1**
Boos................................6 **B 3**
Bordeaux.........................40 **B 1**
Bordères-Louron.............49 **D 3**
Le Boréon.......................47 **D 2**
Bormes-les-Mimosas.......54 **B 2**
Bort-les-Orgues..............35 **C 3**
Bouaye...........................23 **C 3**
Boucau...........................48 **A 1**
Bouchain..........................3 **D 3**
Les Bouchoux..................38 **A 1**
Bouilly............................18 **B 2**
Boulay-Moselle................10 **B 3**
Boulogne-sur-Gesse.........50 **A 2**
Boulogne-sur-Mer.............2 **A 2**
Bouloire..........................16 **A 3**
Le Boulou........................57 **C 3**
Bourbon-Lancy................29 **C 3**

Bourbon-l'Archambault....28 **A 3**
Bourbonne-les-Bains ......20 **A 3**
La Bourboule..............35 **D 2**
Bourbourg.................. 2 **B 1**
Bourbriac..................13 **C 1**
Bourdeaux.................45 **D 2**
Bourdeilles................33 **D 3**
Bourg.....................32 **B 3**
Bourg-Achard.............. 6 **A 3**
Bourg-Argental............37 **C 3**
Bourg-de-Péage...........37 **D 3**
Bourg-de-Visa.............42 **A 2**
Le Bourg-d'Oisans.........38 **B 3**
Bourg-en-Bresse...........37 **D 1**
Bourg-Lastic...............35 **D 2**
Bourg-Madame.............56 **B 3**
Bourg-Saint-Andéol........45 **C 2**
Bourg-Saint-Maurice.......39 **C 2**
Bourganeuf................34 **B 2**
Bourges...................27 **D 2**
Le Bourget-du-Lac.........38 **A 2**
Bourgneuf-en-Retz.........23 **C 3**
Bourgoin-Jallieu..........37 **D 2**
Bourgueil.................26 **A 1**
Bourmont.................20 **A 2**
Le Bousquet-d'Orb.........52 **A 2**
Boussac...................35 **C 1**
Boussens..................50 **A 2**
Bouxwiller................21 **C 1**
Bouzonville...............10 **B 3**
Boves...................... 7 **D 2**
Bozel.....................39 **C 2**
Bozouls...................43 **D 2**
Bracieux..................27 **C 1**
Braine.................... 8 **A 3**
Brancion..................29 **D 3**
Branne....................41 **C 1**
Brantôme-en-Périgord.....33 **D 3**
Brassac...................51 **D 1**
Brassac-les-Mines.........36 **A 3**
Bray...................... 3 **C 3**
Bray-Dunes................ 3 **C 1**
Bray-sur-Seine............18 **A 2**
Brécey.................... 4 **B 3**
La Brède..................41 **C 1**
Bréhal.................... 4 **B 3**
Breil-sur-Roya............47 **D 3**
Brennilis.................12 **B 2**
Brénod...................38 **A 1**
Bresles................... 7 **D 3**
La Bresse.................21 **C 3**

Bressuire.................25 **D 2**
Brest.....................12 **A 2**
Bretenoux.................42 **B 1**
Breteuil-sur-Iton (Eure)...16 **B 1**
Breteuil (Oise)............ 7 **D 2**
Brezolles.................16 **B 1**
Briançon..................47 **C 1**
Briare....................28 **A 1**
Bricquebec-en-Cotentin.... 4 **B 2**
Brides-les-Bains...........38 **B 2**
Brie-Comte-Robert.........17 **D 1**
Briec.....................12 **B 2**
Brienne-le-Château........19 **C 2**
Brienon...................18 **B 3**
Briey.....................10 **A 3**
Brignogan-Plages..........12 **B 1**
Brignoles.................54 **B 1**
Brinon-sur-Beuvron ....28 **B 1**
Brionne................... 6 **A 3**
Brioude...................36 **A 3**
Brioux-sur-Boutonne ......33 **C 1**
Briouze...................15 **D 1**
Brissac-Quincé............25 **D 1**
Brive-la-Gaillarde.........34 **B 3**
Broglie.................... 6 **A 3**
Broons...................14 **A 2**
Brossac...................33 **C 3**
Brou (Ain)................37 **D 1**
Brou (Eure-et-Loir)........16 **B 2**
Brouage..................32 **B 2**
Brûlon....................15 **D 3**
Brumath..................21 **D 1**
Bruniquel.................42 **B 3**
Bruyères..................20 **B 2**
Bubry.....................13 **C 3**
Buchy..................... 6 **B 2**
Bugeat...................35 **C 2**
Le Bugue..................42 **A 1**
Buis-les-Baronnies.........45 **D 2**
Le Buisson-
   de-Cadouin ....42 **A 1**
Bulgnéville................20 **A 2**
Bully..................... 3 **C 2**
Burie.....................33 **C 2**
Bussang...................21 **C 3**
Bussière-Badil............33 **D 2**
Buxy......................29 **D 3**
Buzançais.................27 **C 2**
Buzancy................... 9 **D 3**

C

Les Cabannes..............51 **C 3**
Cabourg................... 5 **D 2**
Cabrerets.................42 **B 2**
Cadenet...................46 **A 3**
Cadillac..................41 **C 1**
Cadouin...................42 **A 1**
Caen...................... 5 **D 2**
Cagnes-sur-Mer ....47 **D 3**
Cahors...................42 **B 2**
Cajarc....................42 **B 2**
Calacuccia................55 **D 2**
Calais..................... 2 **B 1**
Calenzana.................55 **D 2**
Callac....................13 **C 3**
Callas....................55 **C 1**
Calvi.....................55 **C 2**
Camarès..................43 **D 3**
Camaret-sur-Mer ....12 **A 2**
Cambo-les-Bains ....48 **A 1**
Cambrai................... 3 **D 3**
Cambremer .... 5 **D 2**
Campagne-lès-Hesdin..... 2 **B 2**
Campan...................49 **D 2**
Cancale................... 4 **A 3**
Cancon...................41 **D 2**
Candé....................25 **C 1**
Candes-Saint-Martin......26 **A 2**
Canet-Plage...............57 **D 2**
Canisy.................... 4 **B 3**
Cannes...................55 **C 1**
La Canourgue ....44 **A 2**
Cany-Barville............. 6 **A 2**
Le Cap-d'Agde.............52 **B 3**
Cap Ferret................40 **A 1**
Capbreton.................48 **A 1**
Capdenac-Gare............43 **C 2**
La Capelle................. 8 **B 1**
Capendu..................51 **D 2**
Capestang................52 **A 3**
Captieux..................41 **C 2**
Capvern..................49 **D 2**
Caraman..................51 **C 1**
Carantec..................12 **B 1**
Carbon-Blanc..............41 **C 1**
Carbonne.................50 **B 2**
Carcans...................32 **A 3**
Carcans-Plage.............32 **A 3**
Carcassonne...............51 **D 2**
Carcès....................54 **B 1**

A
B
C
D
E
F
G
H
I
J
K
L
M
N
O
P
Q
R
S
T
U
V
W
X
Y
Z

Carentan-les-Marais	4 B 2	
Cargèse	55 C 2	
Carhaix-Plouguer	13 C 2	
Carignan	9 D 2	
Carling	10 B 3	
Carmaux	43 C 3	
Carnac	22 A 2	
Carnon-Plage	52 B 2	
Carolles	4 B 3	
Carpentras	45 D 3	
Carquefou	23 D 3	
Carqueiranne	54 B 2	
Carro	53 D 2	
Carry-le-Rouet	53 D 2	
Carteret	4 B 2	
Carvin	3 C 2	
Cassagnes-Bégonhès	43 D 3	
Cassel	3 C 1	
Cassis	54 A 2	
Castanet-Tolosan	50 B 1	
Casteljaloux	41 D 2	
Castellane	47 C 3	
Castelmoron-sur-Lot	41 D 2	
Castelnau-de-Médoc	40 B 1	
Castelnau-de-Montmiral	42 B 3	
Castelnau-Magnoac	50 A 2	
Castelnau-Montratier	42 B 3	
Castelnau-Rivière-Basse	49 D 1	
Castelnaudary	51 C 2	
Castelsarrasin	42 A 3	
Castets	40 A 3	
Castillon-en-Couserans	50 A 2	
Castillon-la-Bataille	41 C 1	
Castillonnès	41 D 1	
Castres	51 C 1	
Castries	52 B 2	
Le Cateau	3 D 3	
Le Catelet	3 D 3	
Cattenom	10 A 2	
Catus	42 B 2	
Caudebec-en-Caux	6 A 2	
Caudry	3 D 3	
Caulnes	14 A 2	
Caumont-l'Éventé	5 C 3	
Caunes-Minervois	51 D 2	
Caussade	42 B 3	
Cauterets	49 D 3	
Cavaillon	45 D 3	
Cavalaire-sur-Mer	55 C 2	
La Cavalerie	44 A 3	
Cavalière	54 B 2	
Cayeux-sur-Mer	2 A 3	
Le Caylar	44 A 3	
Caylus	42 B 2	
Cayres	44 B 1	
Cazals	42 A 1	
Cazaubon	41 C 3	
Cazaux	40 A 2	
Cazères	50 A 2	
Celles-sur-Belle	33 C 1	
Censeau	30 B 2	
Cerbère	57 D 3	
Céret	51 D 3	
Cergy	7 C 3	
Cérilly	28 A 3	
Cerisiers	18 A 3	
Cerisy-la-Salle	4 B 3	
Cerizay	25 D 2	
Cernay	21 C 3	
Cervione	55 D 2	
Ceyrat	35 D 2	
Ceyzériat	37 D 1	
Chabanais	34 A 2	
Chabeuil	45 D 1	
Chablis	18 B 3	
Chabris	27 C 2	
Chagny	29 D 2	
Chailland	15 C 3	
Chaillé-les-Marais	25 C 3	
La Chaise-Dieu	36 B 3	
Chalabre	51 C 2	
Chalais	33 D 3	
Chalamont	37 D 1	
Chalampé	21 D 3	
Chalindrey	19 D 3	
Challans	24 B 2	
Challes-les-Eaux	38 A 2	
Chalon-sur-Saône	29 D 3	
Chalonnes-sur-Loire	25 D 1	
Châlons-en-Champagne	19 C 1	
Châlus	34 A 2	
Chambéry	38 A 2	
Chambley	10 A 3	
Chambly	7 D 3	
Le Chambon-Feugerolles	37 C 3	
Chambon-sur-Lac	35 D 2	
Le Chambon-sur-Lignon	37 C 3	
Chambon-sur-Voueize	35 C 1	
Chambord	27 C 1	
La Chambre	38 B 3	
Chamonix-Mont-Blanc	39 C 1	
Champagnac-de-Belair	33 D 3	
Champagne-Mouton	33 D 1	
Champagnole	30 B 3	
Champdeniers-Saint-Denis	25 D 3	
Champeaux	14 B 2	
Champeix	36 A 2	
Champlitte	30 A 1	
Champs-sur-Tarentaine	35 D 3	
Champtoceaux	23 D 3	
Chamrousse	38 A 3	
Chanac	44 A 2	
Chanas	37 D 3	
Chantelle	36 A 1	
Chantemerle	46 B 1	
Chantilly	7 D 3	
Chantonnay	25 C 3	
La Chapelle-d'Angillon	27 D 1	
La Chapelle-de-Guinchay	37 C 1	
La Chapelle-en-Valgaudémar	46 B 1	
La Chapelle-en-Vercors	46 A 1	
Charbonnières	37 C 2	
Charenton-du-Cher	28 A 3	
La Charité-sur-Loire	28 A 2	
Charleville-Mézières	9 C 2	
Charlieu	36 B 1	
Charly-sur-Marne	18 A 1	
Charmes	20 B 2	
Charny-Orée-de-Puisaye	18 A 3	
Charny-sur-Meuse	9 D 3	
Charolles	29 C 3	
Chârost	27 D 2	
Charquemont	31 C 1	
Charroux	33 D 1	
La Chartre-sur-le-Loir	16 A 3	
Chartres	16 B 2	
Chasseneuil-sur-Bonnieure	33 D 2	
La Châtaigneraie	25 D 3	
Château-Arnoux-Saint-Auban	46 B 3	
Château-Chinon	29 C 2	
Le Château-d'Oléron	32 B 2	
Château-du-Loir	16 A 3	
Château-Gontier	15 C 3	
Château-la-Vallière	26 A 1	
Château-Landon	17 D 3	
Château-Porcien	8 B 2	
Château-Queyras	47 C 1	
Château-Regnault	9 C 2	
Château-Renard	18 A 3	

Château-Renault ....26 **B 1**
Château-Salins ....20 **B 1**
Château-Thierry ....8 **A 3**
Châteaubourg..............14 **B 2**
Châteaubriant..............14 **B 3**
Châteaudun...............16 **B 3**
Châteaugiron...............14 **B 3**
Châteaulin................12 **B 2**
Châteaumeillant...........27 **D 3**
Châteauneuf-de-Randon ...44 **B 1**
Châteauneuf-
    d'Ille-et-Vilaine..........14 **A 1**
Châteauneuf-du-Faou .....12 **B 2**
Châteauneuf-du-Pape......45 **D 3**
Châteauneuf-en-Thymerais.16 **B 2**
Châteauneuf-la-Forêt......34 **B 2**
Châteauneuf-les-Bains.....35 **D 1**
Châteauneuf-sur-Charente.33 **C 2**
Châteauneuf-sur-Cher .....27 **D 2**
Châteauneuf-sur-Loire......17 **D 3**
Châteauneuf-sur-Sarthe ....15 **C 3**
Châteauponsac............34 **A 1**
Châteaurenard ....45 **D 3**
Châteauroux ....27 **C 2**
Châteauvillain ....19 **D 3**
Châtel....................31 **C 3**
Châtel-Guyon ....35 **D 2**
Châtel-Montagne..........36 **B 1**
Châtel-sur-Moselle........20 **B 2**
Châtelaillon-Plage.........32 **B 1**
Le Châtelard...............38 **B 2**
Châtelaudren..............13 **D 1**
Châteldon................36 **A 1**
Le Châtelet...............27 **D 3**
Le Châtelet-en-Brie........17 **D 2**
Châtellerault ....26 **A 2**
Châtelus-Malvaleix ....35 **C 1**
Châtenois ....20 **A 2**
Châtillon-Coligny..........17 **D 3**
Châtillon-en-Bazois........28 **B 2**
Châtillon-en-Diois.........46 **A 1**
Châtillon-sur-Chalaronne.37 **D 1**
Châtillon-sur-Indre ....26 **B 2**
Châtillon-sur-Loire.........28 **A 1**
Châtillon-sur-Marne ....8 **B 3**
Châtillon-sur-Seine ....19 **C 3**
La Châtre ....27 **D 3**
Chaudes-Aigues ....43 **D 1**
Chauffailles...............37 **C 1**
Chaufour-lès-Bonnières ...16 **B 1**
Chaulnes ....7 **D 2**

Chaumergy................30 **A 2**
Chaumont................19 **D 3**
Chaumont-en-Vexin ....7 **C 3**
Chaumont-sur-Loire ....26 **B 1**
Chauny..................8 **A 2**
Chaussin.................30 **A 2**
Chauvigny................26 **B 3**
Chazelles ....37 **C 2**
Chef-Boutonne...........33 **C 1**
Chemillé-en-Anjou ....25 **D 2**
Chemin...................30 **A 2**
Chênehutte-
    Trèves-Cunault ....25 **D 1**
Chénérailles ....35 **C 1**
Chenonceaux.............26 **B 1**
Chéroy ....18 **A 2**
Le Chesne ....9 **C 2**
Chevagnes ....28 **B 3**
Chevillon ....19 **D 2**
Chevreuse ....17 **C 1**
Le Cheylard..............45 **C 1**
La Chèze ....13 **D 2**
Chinon ....26 **A 2**
Cholet...................25 **C 2**
Chorges ....46 **B 2**
Cintegabelle..............50 **B 2**
La Ciotat.................54 **A 2**
Cirey-sur-Vezouze ....21 **C 1**
Civray ....33 **D 1**
Clairvaux-les-Lacs ....30 **B 3**
Clamecy..................28 **B 1**
Claye ....17 **D 1**
La Clayette ....37 **C 1**
Clécy....................5 **C 3**
Clefmont ....19 **D 2**
Cléguérec ....13 **D 2**
Clelles ....46 **A 1**
Clères ....6 **B 2**
Clermont ....7 **D 3**
Clermont-en-Argonne .....9 **D 3**
Clermont-Ferrand ....35 **D 2**
Clermont-l'Hérault ....52 **A 2**
Clerval ....31 **C 1**
Cléry-Saint-André ....17 **C 3**
Clisson ....23 **D 3**
Cloyes-sur-le-Loir........16 **B 3**
Cluny...................29 **D 3**
La Clusaz ....38 **B 1**
Cluses ....38 **B 1**
Cognac...................33 **C 2**

Cogolin..................55 **C 1**
Coligny..................30 **A 3**
Collinée ....13 **D 2**
Collioure ....57 **D 3**
Collobrières ....54 **B 2**
Collonges ....38 **A 1**
Collonges-la-Rouge ....42 **B 1**
Colmar ....21 **C 2**
Colmars ....47 **C 2**
Cologne ....50 **A 1**
Colombey-les-Belles........20 **A 1**
Colombey-
    les-Deux-Églises.........19 **D 2**
Combeaufontaine ....20 **A 3**
Combloux ....38 **B 1**
Combourg................14 **A 2**
Combronde ....35 **D 1**
Comines..................3 **D 1**
Commentry ....35 **D 1**
Commercy ....19 **D 1**
Compiègne ....7 **D 3**
Comps-sur-Artuby........47 **C 3**
Concarneau ....12 **B 3**
Conches-en-Ouche ....16 **B 1**
Condat..................35 **D 3**
Condé-en-Normandie .....3 **D 2**
Condé-en-Brie............8 **A 3**
Condé-sur-Noireau ....5 **C 3**
Condom.................41 **D 3**
Condrieu................37 **D 3**
Conflans-en-Jarnisy.......10 **A 3**
Confolens .... **D 1**
Conlie ....15 **D 3**
Conliège ....30 **A 3**
Connerré ....16 **A 3**
Conques-en-Rouergue ....43 **C 3**
Le Conquet ....12 **A 2**
Les Contamines-Montjoie .39 **C 2**
Contres..................27 **C 1**
Contrexéville ....20 **A 2**
Conty ....7 **C 2**
Coray...................12 **B 2**
Corbeil-Essonnes ....17 **D 1**
Corbie...................3 **C 3**
Corbigny ....28 **B 1**
Corcieux.................21 **C 2**
Cordes-sur-Ciel ....43 **C 3**
Corlay ....13 **D 2**
Cormatin ....29 **D 3**
Cormeilles................6 **A 3**
Cormery.................26 **B 1**

A
B
C
D
E
F
G
H
I
J
K
L
M
N
O
P
Q
R
S
T
U
V
W
X
Y
Z

A
B
C
D
E
F
G
H
I
J
K
L
M
N
O
P
Q
R
S
T
U
V
W
X
Y
Z

Cornimont..................21 **C 3**
Cornus ....44 **A 3**
Corps.....................46 **A 1**
Corrèze....................34 **B 3**
Corte.....................55 **D 2**
Cosne-Cours-sur-Loire......28 **A 1**
Cosne-d'Allier ....28 **A 3**
Cossé-le-Vivien............15 **C 3**
La Côte-Saint-André........37 **D 3**
Cotignac..................54 **B 1**
Couches...................29 **D 2**
Coucy-le-Château-
   Auffrique.................8 **A 2**
Couhé....................33 **D 1**
Couilly-Pont-aux-Dames....17 **D 1**
Couiza....................51 **D 2**
Coulanges-la-Vineuse ......18 **B 3**
Coulanges-sur-Yonne.......28 **B 1**
Coulommiers...............18 **A 1**
Coulon ....33 **C 1**
Coulonges-sur-l'Autize ....25 **D 3**
Couptrain.................15 **D 2**
Cour-Cheverny ....27 **C 1**
Courchevel................38 **B 3**
Courçon...................32 **B 1**
Cournon-d'Auvergne.......36 **A 2**
La Couronne...............33 **D 2**
Courpière ....36 **A 2**
Cours.....................37 **C 1**
Coursan...................52 **A 3**
Coursegoules..............47 **C 3**
Courseulles-sur-Mer ....5 **D 2**
Courson-les-Carrières ......28 **B 1**
Courtenay.................18 **A 3**
Courthézon ....45 **D 3**
La Courtine...............35 **C 2**
Courtomer................16 **A 1**
Courville-sur-Eure ....16 **B 2**
Coussey ....20 **A 2**
Coutances..................4 **B 3**
Coutras...................41 **C 1**
La Couvertoirade ....44 **A 3**
Cozes.....................32 **B 2**
Craon ....15 **C 3**
Craonne ....8 **B 3**
Craponne-sur-Arzon.......36 **B 3**
La Crau...................54 **B 2**
Crécy-en-Ponthieu ....2 **B 3**
Crécy-la-Chapelle ....17 **D 1**
Crécy-sur-Serre ....8 **B 2**
Creil.....................7 **D 3**

Crémieu ....37 **D 2**
Créon ....41 **C 1**
Crépy-en-Valois ....7 **D 3**
Crest ....45 **D 1**
Créteil ....17 **D 1**
Creully ....5 **C 2**
Le Creusot................29 **D 3**
Creutzwald...............10 **B 3**
Crèvecœur-le-Grand........7 **C 2**
Criel-sur-Mer ....2 **A 3**
Criquetot-l'Esneval ....6 **A 2**
Crocq....................35 **C 2**
Le Croisic ....22 **B 3**
La Croix-Valmer...........55 **C 2**
Le Crotoy ....2 **A 3**
Crozant...................27 **C 3**
Crozon ....12 **A 2**
Cruseilles................38 **B 1**
Cuers ....54 **B 2**
Cuiseaux ....30 **A 3**
Cuisery ....29 **D 3**
Culan ....27 **D 3**
Culoz ....38 **A 2**
Cunlhat..................36 **B 2**
La Cure ....30 **B 3**
Cusset ....36 **A 1**
Cysoing ....3 **D 2**

D

Dabo.....................21 **C 1**
Damazan..................41 **D 2**
Damelevières..............20 **B 1**
Damgan...................22 **B 2**
Dammartin-en-Goële.......7 **D 3**
Dampierre................30 **B 2**
Dampierre-sur-Salon ......30 **A 1**
Damville..................16 **B 1**
Damvillers.................9 **D 3**
Dangé-Saint-Romain ......26 **B 2**
Dannemarie ....21 **C 3**
Daoulas..................12 **B 2**
Darney...................20 **A 2**
Dax......................48 **B 1**
Deauville ....5 **D 2**
Decazeville...............43 **C 2**
Decize...................28 **B 3**
Delle ....31 **C 1**
Delme ....20 **B 1**
Denain ....3 **D 2**
Derval...................23 **D 2**
Descartes.................26 **B 2**

Desvres....................2 **B 2**
Les Deux-Alpes...........38 **B 3**
Die......................45 **D 1**
Dieppe ....2 **A 3**
Dieulefit..................45 **D 2**
Dieulouard...............20 **A 1**
Dieuze ....20 **B 1**
Digne-les-Bains...........46 **B 3**
Digoin...................29 **C 3**
Dijon ....29 **D 1**
Dinan ....14 **A 2**
Dinard ....14 **A 1**
Dives ....5 **D 2**
Divonne-les-Bains ....30 **B 3**
Dol-de-Bretagne ....14 **A 1**
Dole.....................30 **A 2**
Domart-en-Ponthieu ....2 **B 3**
Dombasle.................20 **B 1**
Domène...................38 **A 3**
Domèvre-en-Haye.........20 **A 1**
Domfront-en-Poiraie ......15 **C 1**
Domme ....42 **A 1**
Dompaire ....20 **B 2**
Dompierre-sur-Besbre .....28 **B 3**
Domrémy ....20 **A 2**
Donges ....23 **C 3**
Le Donjon ....36 **B 1**
Donnemarie-Dontilly......18 **A 2**
Donzenac ....34 **B 3**
Donzère..................45 **D 2**
Donzy ....28 **A 1**
Le Dorat.................34 **A 1**
Dordives ....17 **D 3**
Dormans ....8 **B 3**
Dornes ....28 **B 3**
Dortan ....30 **A 3**
Douai ....3 **D 2**
Douarnenez..............12 **B 2**
Doucier...................30 **B 3**
Doudeville ....6 **A 2**
Doué-la-Fontaine ....25 **D 2**
Doulaincourt.............19 **D 2**
Doulevant-le-Château .....19 **D 2**
Doullens ....3 **C 3**
Dourdan ....17 **C 2**
Dourgne ....51 **C 1**
Douvaine.................31 **C 3**
Douvres-la-Délivrande .....5 **D 2**
Dozulé ....5 **D 2**
Draguignan ....54 **B 1**
Dreux ....16 **B 1**

Drouё ....16 **B 3**
Drulingen ....21 **C 1**
Drusenheim ....21 **D 1**
Ducey-les-Chéris ....14 **B 1**
Duclair ....6 **A 2**
Duingt ....38 **B 2**
Dun-le-Palestel...........34 **B 1**
Dun-sur-Auron ....28 **A 2**
Dun-sur-Meuse............9 **D 3**
Dunkerque ....3 **C 1**
Duras.....................41 **D 1**
Durban-Corbières ....51 **D 2**
Durtal ....15 **D 3**

E

Eaux-Bonnes ....49 **C 2**
Eauze....................41 **D 3**
Ébreuil ....35 **D 1**
Les Écharmeaux ....37 **C 1**
Les Échelles ....38 **A 3**
Écommoy ....15 **D 3**
Écos ....7 **C 3**
Écouché...................5 **D 3**
Écueillé ....27 **C 2**
Égletons ....35 **C 3**
Éguzon ....27 **C 3**
Elbeuf ....6 **B 3**
Elne ....57 **C 3**
Éloyes ....20 **B 2**
Elven ....13 **D 3**
Embrun ....46 **B 1**
Encausse-les-Thermes......50 **A 2**
Ennezat ....36 **A 2**
Ensisheim ....21 **C 3**
Entraygues-sur-Truyère ...43 **D 1**
Entrevaux ....47 **C 3**
Envermeu ....2 **A 3**
Épernay ....8 **B 3**
Épernon ....17 **C 1**
Épinac ....29 **D 2**
Épinal ....20 **B 2**
L'Épine ....19 **C 1**
Erbalunga ....55 **D 1**
Ermenonville ....7 **C 1**
Ernée ....15 **C 2**
Erquy ....13 **D 1**
Erstein ....21 **D 2**
Ervy-le-Châtel ....18 **B 3**
L'Escarène ....47 **D 3**
Espalion ....43 **D 2**
Espelette ....48 **A 1**

Les Essarts...............25 **C 3**
Essoyes ....19 **C 3**
Estagel ....51 **D 3**
Estaing ....43 **D 2**
Estaires ....3 **C 2**
Esternay ....18 **A 1**
Estissac ....18 **B 2**
Estrées-Saint-Denis ....7 **D 3**
Étables-sur-Mer..........13 **D 1**
Étain ....9 **D 3**
Étampes.................17 **C 2**
Étang-sur-Arroux ....29 **C 2**
Étaples ....2 **A 2**
Étel ....13 **D 3**
Étrépagny ....7 **C 3**
Étretat ....5 **D 1**
Eu ....2 **A 3**
Eugénie-les-Bains ....49 **C 1**
Évaux-les-Bains..........35 **C 1**
Évian ....31 **C 3**
Évisa ....55 **D 2**
Évran ....14 **A 2**
Évrecy ....5 **C 3**
Évreux ....6 **B 3**
Évron ....15 **D 2**
Évry ....17 **D 1**
Excideuil ....34 **A 3**
Exmes ....5 **D 3**
Eyguières ....53 **D 2**
Eygurande...............35 **C 2**
Eymet ....41 **D 1**
Eymoutiers ....34 **B 2**
Les Eyzies-de-Tayac......42 **A 1**
Èze ....47 **D 3**

F

Facture ....40 **B 1**
Falaise ....5 **D 3**
Fameck ....10 **A 3**
Fanjeaux ....51 **C 2**
Le Faou ....12 **B 2**
Le Faouët ....13 **C 2**
Faucogney-et-la-Mer .....20 **B 3**
Faulquemont.............10 **B 3**
Fauquembergues..........2 **B 2**
Fauville-en-Caux ....6 **A 2**
Faverges ....38 **B 2**
Faverney ....20 **A 3**
Fay-sur-Lignon ....45 **C 1**
Fayence ....55 **C 1**
Fayl-Billot ....20 **A 3**

Fécamp ....6 **A 2**
La Féclaz ....38 **A 2**
Felletin ....35 **C 2**
Fénétrange ....21 **C 1**
La Fère ....8 **A 2**
Fère-Champenoise ....18 **B 1**
Fère-en-Tardenois ....8 **A 3**
Ferney-Voltaire ....38 **B 1**
Ferrette ....31 **D 1**
Ferrières-en-Gâtinais .....17 **D 3**
La Ferté-Alais ....17 **D 2**
La Ferté-Bernard ....16 **A 2**
La Ferté-en-Ouche ....16 **A 1**
La Ferté-Gaucher ....18 **A 1**
La Ferté-Macé ....15 **D 1**
La Ferté-Milon ....8 **A 3**
La Ferté-Saint-Aubin .....17 **C 3**
La Ferté-sous-Jouarre....18 **A 1**
La Ferté-Vidame ....16 **A 1**
Feurs ....37 **C 2**
Feyzin ....37 **D 2**
Figeac ....43 **C 2**
Firminy ....37 **C 3**
Fismes ....8 **B 3**
Flaine ....38 **B 1**
La Flèche ....15 **D 3**
Flers ....5 **C 3**
Fleurance ....41 **D 3**
Fleury ....17 **D 2**
Fleury-sur-Andelle........6 **B 3**
Flixecourt ....2 **B 3**
Flize ....9 **C 2**
Flogny ....18 **B 3**
Florac-Trois-Rivières .....44 **B 2**
Florensac................52 **A 2**
Flumet ....38 **B 2**
Foix ....50 **B 2**
Le Folgoët ....12 **B 1**
Font-Romeu-Odeillo-Via..51 **C 3**
Fontaine.................21 **C 3**
Fontaine-de-Vaucluse ....45 **D 3**
Fontaine-Française ....30 **A 1**
Fontaine-le-Dun...........6 **A 2**
Fontainebleau...........17 **D 2**
Fontenay-le-Comte ....25 **C 3**
Fontenay-Trésigny........17 **D 1**
Fontevraud-l'Abbaye .....26 **A 2**
Fontgombault............26 **B 3**
Fontoy ....10 **A 3**
Fontvieille ....53 **D 2**
Forbach ....10 **B 3**

A
B
C
D
E
F
G
H
I
J
K
L
M
N
O
P
Q
R
S
T
U
V
W
X
Y
Z

Forcalquier .... 46 **A 3**
Forges-les-Eaux .... 6 **B 2**
Formerie .... 7 **C 2**
Fort-Mahon-Plage .... 2 **A 2**
Fos .... 50 **A 3**
Fos-sur-Mer .... 53 **D 2**
Le Fossat .... 50 **B 2**
Fouesnant .... 12 **B 3**
Foug .... 20 **A 1**
Fougères .... 14 **B 2**
Fougerolles .... 20 **B 3**
Fouras .... 32 **B 1**
Fourchambault .... 28 **A 2**
Fourmies .... 8 **B 1**
Fournels .... 44 **A 1**
Fours .... 28 **B 3**
Le Fousseret .... 50 **A 2**
Fraize .... 21 **C 2**
Frangy .... 38 **A 1**
Fréjus .... 55 **C 1**
Fresnay-sur-Sarthe .... 15 **D 2**
Fresne-Saint-Mamès .... 30 **B 1**
Fresnes-en-Woëvre .... 10 **A 3**
Frévent .... 2 **B 3**
Freyming-Merlebach .... 10 **B 3**
Froissy .... 7 **D 2**
Fromentine .... 24 **A 2**
Frontenay-Rohan-Rohan ... 33 **C 2**
Frontignan .... 52 **B 2**
Fronton .... 42 **B 3**
Frouard .... 20 **A 1**
Fruges .... 2 **B 2**
Fumay .... 9 **C 1**
Fumel .... 42 **A 2**

G

Gabarret .... 41 **C 3**
Gacé .... 16 **A 1**
La Gacilly .... 14 **A 3**
Gaillac .... 42 **B 3**
Gaillon .... 6 **B 3**
Galan .... 49 **D 2**
Gallardon .... 17 **C 2**
Gallargues .... 53 **C 2**
Gamaches .... 2 **A 3**
Ganges .... 44 **B 3**
Gannat .... 36 **A 1**
Gap .... 46 **B 1**
Gardanne .... 54 **A 1**
La Garde-Freinet .... 55 **C 1**
Gargilesse .... 27 **C 3**

Garlin .... 49 **C 1**
Gavarnie .... 49 **D 3**
Gavray .... 4 **B 3**
Geaune .... 49 **C 1**
Gemeaux .... 30 **A 1**
Gémenos .... 54 **A 1**
Gémozac .... 32 **B 2**
Gençay .... 26 **A 3**
Genlis .... 30 **A 1**
Gennes .... 25 **D 1**
Génolhac .... 44 **B 2**
Gentioux-Pigerolles .... 35 **C 2**
Gérardmer .... 21 **C 2**
Gerbéviller .... 20 **B 1**
Les Gets .... 38 **B 1**
Gevrey-Chambertin .... 29 **D 1**
Gex .... 30 **B 3**
Ghisonaccia .... 55 **D 2**
Ghisoni .... 55 **D 2**
Giat .... 35 **C 2**
Gien .... 28 **A 1**
Giens .... 54 **B 2**
Gignac .... 52 **B 2**
Gimont .... 50 **A 1**
Giromagny .... 21 **C 3**
Gisors .... 7 **C 3**
Givet .... 9 **C 1**
Givors .... 37 **D 2**
Givry .... 29 **D 3**
Givry-en-Argonne .... 19 **D 1**
Goderville .... 6 **A 2**
Golfe-Juan .... 55 **D 1**
Goncelin .... 38 **A 3**
Gondrecourt-le-Château ... 19 **D 2**
Gordes .... 45 **D 3**
Gorron .... 15 **C 2**
Gouarec .... 13 **C 2**
Goumois .... 31 **C 1**
Gourdon .... 42 **B 1**
Gourin .... 13 **C 2**
Gournay-en-Bray .... 7 **C 2**
Gouzon .... 35 **C 1**
Graçay .... 27 **C 2**
Gramat .... 42 **B 1**
Grancey-le-Château .... 19 **D 3**
Le Grand-Bornand .... 38 **B 1**
Le Grand-Bourg .... 34 **B 1**
Grand Bourgtheroulde ..... 6 **A 3**
Grand-Champ .... 13 **D 3**
La Grand-Combe .... 44 **B 2**
Grand-Couronne .... 6 **B 3**

La Grand-Croix .... 37 **C 2**
Grand-Fougeray .... 14 **A 3**
Le Grand-Lemps .... 37 **D 3**
Le Grand-Lucé .... 16 **A 3**
Le Grand-Pressigny .... 26 **B 2**
Le Grand-Serre .... 37 **D 3**
Grandcamp-Maisy .... 5 **C 2**
La Grande-Motte .... 53 **C 2**
Grandpré .... 9 **C 3**
Grandrieu .... 44 **B 1**
Grandvilliers .... 7 **C 2**
Granges-sur-Vologne ...... 20 **B 2**
Granville .... 4 **B 3**
Grasse .... 47 **C 3**
Le Grau-du-Roi .... 53 **C 2**
Graulhet .... 43 **C 3**
La Grave .... 38 **B 3**
Gravelines .... 2 **B 1**
Gray .... 30 **A 1**
Grenade .... 42 **A 3**
Grenade-sur-l'Adour .... 41 **C 3**
Grenoble .... 38 **A 3**
Gréoux-les-Bains .... 46 **A 3**
Gresse-en-Vercors .... 46 **A 1**
Grésy-sur-Isère .... 38 **B 2**
Grez-en-Bouère .... 15 **C 3**
Grignan .... 45 **D 2**
Grignols .... 41 **C 2**
Grimaud .... 55 **C 1**
Grisolles .... 42 **A 3**
Groix .... 13 **C 3**
Grostenquin .... 10 **B 3**
Gruissan .... 52 **A 3**
Guebwiller .... 21 **C 3**
Guémené-Penfao .... 23 **C 2**
Guémené-sur-Scorff .... 13 **C 2**
Guer .... 14 **A 3**
Guérande .... 22 **B 3**
La Guerche-de-Bretagne ... 14 **B 3**
La Guerche-sur-l'Aubois ... 28 **A 2**
Guéret .... 34 **B 1**
Guérigny .... 28 **B 2**
Guéthary .... 48 **A 1**
Gueugnon .... 29 **C 3**
Guichen .... 14 **A 3**
Guignes .... 17 **D 1**
Guillaumes .... 47 **C 3**
Guillestre .... 47 **C 1**
Guillon .... 29 **C 1**
Guilvinec .... 12 **B 3**
Guimiliau .... 12 **B 1**

Guînes ....2 **B 1**
Guingamp.........................13 **C 1**
Guipavas ....12 **A 1**
Guiscard..........................8 **A 2**
Guise...............................3 **D 3**
Guîtres ....41 **C 1**
Gujan-Mestras................40 **B 1**
Guzet-Neige....................50 **B 3**
Gy.................................30 **B 1**

H

Habsheim ....21 **C 3**
Hagetmau.......................49 **C 1**
Hagondange ....10 **A 3**
Haguenau ....21 **D 1**
Hallencourt......................2 **B 3**
Halluin ....3 **D 1**
Ham................................8 **A 2**
Hardelot-Plage ....2 **A 2**
Haroué ....20 **A 2**
Hasparren.......................48 **B 1**
Haubourdin ....3 **C 2**
Hautefort.........................34 **A 3**
Hauterives.......................37 **D 3**
Hauteville-Lompnes.........38 **A 1**
Hautmont..........................8 **B 1**
Le Havre..........................5 **D 2**
Hayange..........................10 **A 3**
La Haye-du-Puits ....4 **B 2**
La Haye-Pesnel ....4 **B 3**
Hazebrouck ....3 **C 2**
Héas...............................49 **D 3**
Hédé-Bazouges ....14 **A 2**
Hendaye ....48 **A 1**
Hénin-Beaumont...............3 **C 2**
Hennebont ....13 **C 3**
Henrichemont..................28 **A 1**
Herbault..........................26 **B 1**
Les Herbiers ....25 **C 2**
Herbignac ....23 **C 2**
Héricourt.........................31 **C 1**
Hérisson.........................28 **A 3**
L'Hermenault ....25 **C 3**
Herment...........................35 **D 2**
Hesdin ....2 **B 2**
Hettange-Grande ....10 **A 2**
Heuchin............................2 **B 1**
Heyrieux..........................37 **D 2**
Hiersac............................33 **C 2**
Hirsingue.........................21 **C 3**
Hirson..............................8 **B 1**

Hochfelden......................21 **D 1**
Le Hohwald ....21 **C 2**
Hondschoote.....................3 **C 1**
Honfleur............................5 **D 2**
Hornoy-le-Bourg................7 **C 2**
Hossegor........................48 **A 1**
Les Houches....................39 **C 1**
Houdain............................3 **C 2**
Houdan............................17 **C 1**
Houeillès.........................41 **C 3**
Houlgate...........................5 **D 2**
Hourtin............................32 **B 3**
Hucqueliers.......................2 **B 2**
Huelgoat.........................12 **B 2**
Hunspach........................11 **D 3**
Huriel..............................35 **C 1**
Hyères............................54 **B 2**

I

L'Île-Bouchard ....26 **A 2**
L'Île-Rousse.....................55 **D 2**
Ille-sur-Têt......................51 **D 3**
Illhaeusern ....21 **C 2**
Illiers-Combray.................16 **B 2**
Imphy.............................28 **B 2**
Ingrandes........................25 **C 1**
Ingwiller...........................21 **C 1**
Is-sur-Tille.......................30 **A 1**
Isigny-sur-Mer ....5 **C 2**
L'Isle-Adam ....7 **D 3**
L'Isle-d'Abeau ....37 **D 2**
L'Isle-de-Noé ....49 **D 1**
L'Isle-en-Dodon ....50 **A 1**
L'Isle-Jourdain (Gers)........50 **B 1**
L'Isle-Jourdain (Vienne) ....34 **A 1**
L'Isle-sur-la-Sorgue ....45 **D 3**
L'Isle-sur-le-Doubs...........31 **C 1**
L'Isle-sur-Serein...............29 **C 1**
Isola 2000 ....47 **D 2**
Les Issambres..................55 **C 1**
Issigeac..........................41 **D 1**
Issoire............................36 **A 2**
Issoudun ....27 **D 2**
Issy-l'Évêque ....29 **C 3**
Istres.............................53 **D 2**
Ivry-la-Bataille..................16 **B 1**
Izernore..........................38 **A 1**

J

Jaligny-sur-Besbre...........28 **B 3**
Janville...........................17 **C 2**

Janzé.............................14 **B 3**
Jard-sur-Mer....................24 **B 3**
Jargeau..........................17 **C 3**
Jarnac............................33 **C 2**
Jarnages.........................35 **C 1**
Jarny.............................10 **A 3**
Jaunay-Clan ....26 **A 3**
Jausiers..........................47 **C 2**
La Javie...........................46 **B 2**
Javron............................15 **D 2**
Jegun.............................41 **D 3**
Jeumont...........................8 **B 1**
Joigny............................18 **A 3**
Joinville..........................19 **D 2**
Jonzac...........................33 **C 3**
Josselin..........................13 **D 3**
Jouarre...........................18 **A 1**
Joué-lès-Tours.................26 **B 1**
Jougne...........................31 **C 2**
Joyeuse..........................45 **C 2**
Juan-les-Pins...................55 **D 1**
Jugon-les-Lacs ....14 **A 2**
Juillac............................34 **B 3**
Jullouville ....4 **B 3**
Jumeaux.........................36 **A 3**
Jumièges..........................6 **A 3**
Jumilhac-le-Grand............34 **A 3**
Juniville............................9 **C 3**
Jussey............................20 **A 3**
Juvigny-le-Tertre ....15 **C 1**
Juvigny-sous-Andaine.......15 **C 2**
Juzennecourt...................19 **D 2**

K

Kaysersberg-Vignoble ....21 **C 2**
Kembs............................21 **D 3**
Kernascléden...................13 **C 3**

L

Labastide-Murat..............42 **B 1**
Labastide-Rouairoux ....51 **D 1**
Labouheyre......................40 **B 2**
Labrit..............................40 **B 3**
Labruguière......................51 **D 1**
Lacanau..........................40 **B 1**
Lacanau-Océan................40 **A 1**
Lacapelle-Marival ....43 **C 1**
Lacaune...........................51 **D 1**
Lacq...............................49 **C 1**
Laferté-sur-Amance ....20 **A 3**
Laffrey............................38 **A 3**

A B C D E F G H I J K L M N O P Q R S T U V W X Y Z

Lafrançaise . . . . .42 **A 3**
Lagnieu . . . . .37 **D 1**
Lagny . . . . .17 **D 1**
Lagrasse. . . . . .51 **D 2**
Laguépie . . . . .43 **C 3**
Laguiole. . . . . .43 **D 1**
Laignes . . . . .19 **C 3**
Laissac-Sévérac-l'Église . . . . .43 **D 2**
Lalbenque. . . . . .42 **B 2**
Lalinde . . . . .42 **A 1**
Lalouvesc . . . . .37 **C 3**
Lamalou-les-Bains. . . . . .52 **A 2**
Lamarche. . . . . .20 **A 3**
Lamarque . . . . .32 **B 3**
Lamastre . . . . .45 **C 1**
Lamballe . . . . .13 **D 2**
Lambesc . . . . .53 **D 2**
Lamotte-Beuvron . . . . .27 **D 1**
Lampaul. . . . . .12 **A 1**
Lamure-sur-Azergues. . . . . . . .37 **C 1**
Landerneau . . . . .12 **B 1**
Landévennec. . . . . .12 **B 2**
Landivisiau . . . . .12 **B 1**
Landivy . . . . .15 **C 2**
Landrecies. . . . . .8 **B 1**
Langeac . . . . .36 **A 3**
Langeais. . . . . .26 **A 1**
Langogne . . . . .44 **B 1**
Langon. . . . . .41 **C 2**
Langres . . . . .19 **D 3**
Langrune-sur-Mer . . . . .5 **D 2**
Lanmeur . . . . .13 **C 1**
Lannemezan . . . . .49 **D 2**
Lannilis . . . . .12 **A 1**
Lannion . . . . .13 **C 1**
Lanouaille . . . . .34 **A 3**
Lans-en-Vercors . . . . .38 **A 3**
Lanslebourg-Mont-Cenis . . . .39 **C 3**
Lanta. .50 **B 1**
Lantosque . . . . .47 **D 3**
Lanvollon . . . . .13 **D 1**
Laon . . . . .8 **B 2**
Lapalisse . . . . .36 **B 1**
Lapleau . . . . .35 **C 3**
Laplume. . . . . .41 **D 3**
Lapoutroie . . . . .21 **C 2**
Laragne-Montéglin. . . . . .46 **A 2**
Larche (Alpes-
    de-Haute-Provence). . . . . .47 **C 2**
Larche (Corrèze) . . . . .34 **B 3**
Largentière . . . . .45 **C 2**

Larmor-Plage. . . . . .13 **C 3**
Laroque-d'Olmes. . . . . .51 **C 2**
Laroque-Timbaut. . . . . .42 **A 2**
Laroquebrou . . . . .43 **C 1**
Laruns. . . . . .49 **C 2**
Lasalle. . . . . .44 **B 3**
Lassay-les-Châteaux. . . . . . . .15 **C 2**
Lassigny . . . . .7 **D 2**
Latour-de-France . . . . .51 **D 3**
Latronquière . . . . .43 **C 1**
Laurière . . . . .34 **B 1**
Lauterbourg. . . . . .11 **D 3**
Lautrec. . . . . .51 **C 1**
Lauzerte. . . . . .42 **A 2**
Le Lauzet-Ubaye. . . . . .46 **B 2**
Lauzun . . . . .41 **D 2**
Laval . . . . .15 **C 3**
Le Lavandou. . . . . .54 **B 2**
Lavardac . . . . .41 **D 3**
Lavaur. . . . . .51 **C 1**
Lavelanet. . . . . .51 **C 2**
Lavéra .53 **D 2**
Lavit-de-Lomagne. . . . . .42 **A 3**
Lavoûte-Chilhac. . . . . .36 **A 3**
La Léchère . . . . .38 **B 2**
Les Lecques . . . . .54 **A 2**
Lectoure . . . . .41 **D 3**
Lédignan . . . . .45 **C 3**
Legé. . . . . .24 **B 2**
Léguevin . . . . .50 **B 1**
Lembach . . . . .11 **D 3**
Lembeye . . . . .49 **D 1**
Lempdes-sur-Allagnon . . . . . .36 **A 3**
Lencloître . . . . .26 **A 2**
Lens . . . . .3 **C 2**
Léon . . . . .40 **A 3**
Léoncel. . . . . .45 **D 1**
Léré . . . . .28 **A 1**
Lescar .49 **C 1**
Lescun . . . . .49 **C 2**
Lesneven . . . . .12 **B 1**
Lesparre-Médoc. . . . . .32 **B 3**
Lessay . . . . .4 **B 2**
Lestelle-Bétharram . . . . .49 **C 2**
Levens . . . . .47 **D 3**
Levet. .27 **D 2**
Levie . . . . .55 **D 3**
Levier .30 **B 2**
Levroux . . . . .27 **C 2**
Lézardrieux . . . . .13 **D 1**
Lézat-sur-Lèze . . . . .50 **B 2**

Lezay. .33 **D 1**
Lézignan-Corbières. . . . . .51 **D 2**
Lezoux . . . . .36 **A 2**
Libourne . . . . .41 **C 1**
Liernais. . . . . .29 **C 2**
Lieurey .6 **A 3**
Liévin . . . . .3 **C 2**
Liffol-le-Grand. . . . . .20 **A 2**
Liffré . . . . .14 **B 2**
Lignières . . . . .27 **D 3**
Ligny-en-Barrois. . . . . .19 **D 1**
Ligny-le-Châtel. . . . . .18 **B 3**
Ligueil. . . . . .26 **B 2**
Lille . . . . .3 **D 2**
Lillebonne . . . . .6 **A 2**
Lillers. . . . . .3 **C 2**
Limoges . . . . .34 **A 2**
Limogne-en-Quercy. . . . . .42 **B 2**
Limonest . . . . .37 **D 2**
Limours-en-Hurepoix. . . . . . . .17 **C 1**
Limoux . . . . .51 **C 2**
Le Lion-d'Angers . . . . .25 **D 1**
Lion-sur-Mer . . . . .5 **D 2**
Le Lioran . . . . .35 **D 3**
Lisieux. .5 **D 2**
Lisle-sur-Tarn . . . . .42 **B 3**
Lit-et-Mixe. . . . . .40 **A 3**
Livarot-Pays-d'Auge . . . . .5 **D 3**
Liverdun . . . . .20 **A 1**
Livernon . . . . .42 **B 1**
Livron-sur-Drôme . . . . .45 **D 1**
Lizy-sur-Ourcq . . . . .8 **A 3**
Loches . . . . .26 **B 2**
Locmariaquer . . . . .22 **B 2**
Locminé. . . . . .13 **D 3**
Locquirec. . . . . .13 **C 1**
Locronan . . . . .12 **B 2**
Loctudy . . . . .12 **B 3**
Lodève . . . . .52 **A 2**
Loiron-Ruillé . . . . .15 **C 3**
Lombez . . . . .50 **A 1**
La Londe-les-Maures . . . . . . .54 **B 2**
Londinières. . . . . .6 **B 2**
Longeau. . . . . .19 **D 3**
Longny-au-Perche . . . . .16 **A 2**
Longué. . . . . .25 **D 1**
Longueville-sur-Scie . . . . .6 **B 2**
Longuyon . . . . .9 **D 2**
Longwy. . . . . .10 **A 2**
Lons-le-Saunier. . . . . .30 **A 3**
Lorgues . . . . .54 **B 1**

Lorient ....13 **C 3**
Loriol-sur-Drôme ....45 **D 1**
Lormes ....29 **C 1**
Le Loroux-Bottereau.....23 **D 3**
Lorquin....................21 **C 1**
Lorrez-le-Bocage ....17 **D 2**
Lorris.....................17 **D 3**
Loudéac...................13 **D 2**
Loudes ....36 **B 3**
Loudun....................26 **A 2**
Loué ....15 **D 3**
Louhans-Châteaurenaud ...30 **A 3**
Loulay....................33 **C 1**
La Loupe..................16 **B 2**
Lourdes ....49 **D 2**
Le Louroux-Béconnais ....25 **C 1**
Louviers ....6 **B 3**
Louvigné-du-Désert......14 **B 2**
Lubersac..................34 **B 3**
Le Luc....................54 **B 1**
Luc-en-Diois..............46 **A 1**
Luc-sur-Mer ....5 **D 2**
Lucenay-l'Évêque..........29 **C 2**
Luçon ....25 **C 3**
Le Lude...................26 **A 1**
Lumbres...................2 **B 2**
Lunas.....................52 **A 2**
Lunel ....53 **C 2**
Lunéville ....20 **B 1**
Lurbe-Saint-Christau ......49 **C 2**
Lurcy-Lévis ....28 **A 3**
Lure ....20 **B 3**
Luri.......................55 **D 1**
Lury-sur-Arnon ....27 **D 2**
Lusignan..................26 **A 3**
Lusigny-sur-Barse ....19 **C 2**
Lussac....................41 **C 1**
Lussac-les-Châteaux.......26 **B 3**
Lussan....................45 **C 3**
Lutzelbourg ....21 **C 1**
Luxeuil-les-Bains ....20 **B 3**
Luynes ....26 **A 1**
Luz-Saint-Sauveur ....49 **D 3**
Luzarches ....7 **D 3**
Luzech ....42 **A 2**
Luzy......................29 **C 3**
Lyon......................37 **D 2**
Lyons-la-Forêt.............6 **B 3**

M

Machault ....9 **C 3**

Machecoul-St-Même ......24 **B 2**
La Machine................28 **B 2**
Mâcon....................37 **D 1**
Maël-Carhaix ....13 **C 2**
Magnac-Bourg.............34 **B 2**
Magnac-Laval ....34 **A 1**
Magny-en-Vexin...........7 **C 3**
Maîche...................31 **C 1**
Maignelay-Montigny ....7 **D 2**
Maillezais.................25 **D 3**
Mailly-le-Camp............18 **B 1**
Maintenon ....17 **C 1**
Maison-Neuve.............19 **C 2**
Maizières ....10 **A 3**
Malaucène ....45 **D 2**
Malbuisson................30 **B 2**
La Malène.................44 **A 2**
Malesherbes..............17 **D 2**
Malestroit ....22 **B 2**
Malicorne-sur-Sarthe .....15 **D 3**
Malo-les-Bains.............3 **C 1**
Le Malzieu-Ville............44 **A 1**
Mamers ....16 **A 2**
Mandelieu-la-Napoule.....55 **C 1**
Manosque.................46 **A 3**
Le Mans..................15 **D 3**
Mansle ....33 **D 2**
Mantes-la-Jolie ....17 **C 1**
Manzat...................35 **D 1**
Marans ....32 **B 1**
Marchaux.................30 **B 1**
Marchenoir...............16 **B 3**
Marchiennes..............3 **D 2**
Marciac ....49 **D 1**
Marcigny.................36 **B 1**
Marcillac-Vallon ....43 **C 2**
Marcillat-en-Combraille ...35 **D 1**
Marcilly-le-Hayer ....18 **B 2**
Marckolsheim ....21 **C 2**
Marcoule.................45 **D 3**
Marennes.................32 **B 2**
Mareuil...................33 **D 3**
Mareuil-sur-Lay..........25 **C 3**
Marguerittes ....45 **C 3**
Marignane.................53 **D 2**
Marigny-le-Lozon ....4 **B 3**
Marigny-le-Châtel.........18 **B 2**
Marines ....7 **C 3**
Maringues.................36 **A 2**
Le Markstein..............21 **C 3**
Marle.....................8 **B 2**

Marlenheim ....21 **C 1**
Marmande ....41 **D 2**
Marmoutier...............21 **C 1**
Marnay...................30 **B 1**
Marolles-les-Braults ......16 **A 2**
Marquion.................3 **D 3**
Marquise..................2 **B 1**
Mars-la-Tour..............10 **A 3**
Marseillan................52 **B 2**
Marseille ....54 **A 1**
Marseille-en-Beauvaisis...7 **C 2**
Martel ....42 **B 1**
Marthon..................33 **D 2**
Martigné-Ferchaud........14 **B 3**
Martigny-les-Bains ....20 **A 2**
Martigues ....53 **D 2**
Marvejols.................44 **A 2**
Mas-Cabardès ....51 **D 1**
Le Mas-d'Agenais ....41 **D 2**
Le Mas-d'Azil ....50 **B 2**
Masevaux-Niederbruck....21 **C 3**
Massat...................50 **B 3**
Le Massegros.............44 **A 2**
Masseube ....50 **A 1**
Massiac..................36 **A 3**
Les Matelles..............52 **B 2**
Matha ....33 **C 2**
Matignon.................14 **A 1**
Matour ....37 **C 1**
Maubeuge.................8 **B 1**
Maubourguet ....49 **D 1**
Maubuisson..............32 **B 3**
Mauguio ....52 **B 2**
Mauléon..................25 **D 2**
Mauléon-Barousse........50 **A 2**
Mauléon-Licharre.........48 **B 2**
Maure-de-Bretagne.......14 **A 3**
Mauriac..................35 **C 3**
Mauron...................14 **A 2**
Maurs ....43 **C 1**
Mauvezin.................50 **A 1**
Mauzé-sur-le-Mignon .....32 **B 1**
Mayenne ....15 **C 2**
Mayet ....16 **A 3**
Le Mayet-de-Montagne....36 **B 1**
Mazagran ....9 **C 3**
Mazamet.................51 **D 1**
Mazères ....51 **C 2**
Mazières-en-Gâtine ....25 **D 3**
Meaux...................17 **D 1**
Les Mées ....46 **B 3**

A
B
C
D
E
F
G
H
I
J
K
L
M
N
O
P
Q
R
S
T
U
V
W
X
Y
Z

A

Megève ....38 **B 1**
Mehun-sur-Yèvre ....27 **D 2**
Meillant ....28 **A 3**
Le Mêle-sur-Sarthe ....16 **A 2**
Mélisey ....20 **B 3**
Melle ....33 **C 1**
Melun ....17 **D 2**
Menat ....35 **D 1**
Mende ....44 **A 2**
Ménigoute ....25 **D 3**
Mennetou-sur-Cher ....27 **D 1**
Mens ....46 **A 1**
Menthon ....38 **B 2**
Menton ....47 **D 3**
Les Menuires ....38 **B 3**
Mer ....16 **B 3**
Mercœur ....43 **C 1**
Merdrignac ....22 **B 1**
Méréville ....17 **C 2**
Méribel ....38 **B 3**
Mérignac ....40 **B 1**
Le Merlerault ....16 **A 1**
Mers-les-Bains .... 2 **A 3**
Méru .... 7 **C 3**
Merville .... 3 **C 2**
Merville-Franceville ...... 5 **D 2**
Méry-sur-Seine ....18 **B 2**
Meschers-sur-Gironde ......32 **B 2**
Meslay-du-Maine ....15 **C 3**
Messei .... 5 **C 3**
Mesvres ....29 **C 2**
Metz ....10 **A 3**
Metzervisse ....10 **A 3**
Meulan ....17 **C 1**
Meung-sur-Loire ....17 **C 3**
Meursault ....29 **D 2**
Meximieux ....37 **D 2**
Meymac ....35 **C 2**
Meyrueis ....44 **A 3**
Meyzieu ....37 **D 2**
Mèze ....52 **B 2**
Mézel ....46 **B 3**
Mézidon .... 5 **D 3**
Mézières-en-Brenne ....26 **B 2**
Mézières-sur-Issoire ......34 **A 1**
Mézin ....41 **D 3**
Miélan ....49 **D 1**
Migennes ....18 **A 3**
Mijoux ....30 **B 3**
Millas ....51 **D 3**
Millau ....43 **D 3**

Milly-la-Forêt ....17 **D 2**
Mimizan ....40 **A 2**
Mimizan-Plage ....40 **A 2**
Mindin ....23 **C 3**
Mionnay ....37 **D 2**
Miramar ....55 **C 1**
Miramas ....53 **D 2**
Mirambeau ....33 **C 3**
Miramont-de-Guyenne ....41 **D 2**
Mirande ....49 **D 1**
Mirebeau ....26 **A 3**
Mirebeau-sur-Bèze ....30 **A 1**
Mirecourt ....20 **A 2**
Mirepoix ....51 **C 2**
Miribel ....37 **D 2**
Modane ....39 **C 3**
Moëlan-sur-Mer ....13 **C 3**
Moirans ....38 **A 3**
Moirans-en-Montagne ....30 **B 3**
Moisdon-la-Rivière ....23 **D 2**
Moissac ....42 **A 3**
Molières ....42 **B 3**
Molitg-les-Bains ....51 **D 3**
Molliens-Dreuil .... 7 **C 2**
Molsheim ....21 **C 1**
Mon Idée .... 9 **C 2**
Le Monastier-sur-Gazeille .44 **B 1**
Monbazillac ....41 **D 1**
Monclar-de-Quercy ....42 **B 3**
Moncontour
    (Côtes-d'Armor) ....13 **D 2**
Moncontour (Vienne) ....26 **A 2**
Moncoutant ....25 **D 3**
Mondoubleau ....16 **A 3**
Mondragon ....45 **D 2**
Monein ....49 **C 1**
Monestier-de-Clermont .....46 **A 1**
Monestiés ....43 **C 3**
Le Monêtier ....38 **B 3**
Monflanquin ....42 **A 2**
La Mongie ....49 **D 2**
Monistrol-d'Allier ....44 **B 1**
Monistrol-sur-Loire ....37 **C 3**
Monpazier ....42 **A 1**
Monségur ....41 **D 1**
Monsols ....37 **C 1**
Mont-de-Marsan ....41 **C 3**
Le Mont-Dore ....35 **D 2**
Mont-Louis ....51 **C 3**
Le Mont-Saint-Michel ......14 **B 1**
Mont-Saint-Vincent ....29 **D 3**

Mont-sous-Vaudrey ....30 **A 2**
Montagnac ....52 **B 2**
Montagrier ....33 **D 3**
Montaigu ....25 **C 2**
Montaigu-de-Quercy ....42 **A 2**
Montaigut ....35 **D 1**
Montalieu-Vercieu ....37 **D 2**
Montalivet-les-Bains ......32 **B 3**
Montargis ....17 **D 3**
Montastruc-
    la-Conseillère ....50 **B 1**
Montauban ....42 **B 3**
Montauban-de-Bretagne .....14 **A 2**
Montbard ....29 **C 1**
Montbazens ....43 **C 2**
Montbazon ....26 **B 1**
Montbéliard ....31 **C 1**
Montbenoît ....31 **C 2**
Montbozon ....30 **B 1**
Montbrison ....36 **B 2**
Montbron ....33 **D 2**
Montceau-les-Mines ....29 **D 3**
Montcenis ....29 **D 3**
Montchanin ....29 **D 3**
Montcornet .... 8 **B 2**
Montcuq-en-
    Quercy-Blanc ....42 **A 2**
Montdidier .... 7 **D 2**
Montebourg .... 4 **B 2**
Montech ....42 **A 3**
Montélimar ....45 **D 2**
Montendre ....33 **C 3**
Montereau-Fault-Yonne .....18 **A 2**
Montesquieu-Volvestre .....50 **B 2**
Montesquiou ....49 **D 1**
Le Montet ....28 **A 3**
Montfaucon ....23 **D 3**
Montfaucon-d'Argonne ..... 9 **D 3**
Montfaucon-en-Velay ....37 **C 3**
Montfort-en-Chalosse ......48 **B 1**
Montfort-l'Amaury ....17 **C 1**
Montfort-sur-Meu ....14 **A 2**
Montfort-sur-Risle .... 6 **A 3**
Montgaillard ....50 **B 1**
Montgenèvre ....47 **C 1**
Montgiscard ....50 **B 1**
Montguyon ....33 **C 3**
Monthermé .... 9 **C 1**
Monthois .... 9 **C 3**
Monthureux-sur-Saône ......20 **A 3**
Montier-en-Der ....19 **C 2**

Montignac . . . . .34 **A 3**
Montigny-le-Roi . . . . .19 **D 3**
Montigny-sur-Aube . . . . .19 **C 3**
Montivilliers . . . . .5 **D 1**
Montjean-sur-Loire . . . . .25 **C 1**
Montlhéry . . . . .17 **D 1**
Montlieu-la-Garde . . . . .33 **C 3**
Montlouis-sur-Loire . . . . .26 **B 1**
Montluçon . . . . .35 **D 1**
Montluel . . . . .37 **D 2**
Montmarault . . . . .35 **D 1**
Montmartin-sur-Mer . . . . .4 **B 3**
Montmédy . . . . .9 **D 2**
Montmélian . . . . .38 **B 2**
Montmirail (Marne) . . . . .18 **A 1**
Montmirail (Sarthe) . . . . .16 **A 3**
Montmirey-le-Château . . . . . .30 **A 1**
Montmoreau-
  Saint-Cybard . . . . .33 **D 3**
Montmorillon . . . . .26 **B 3**
Montmort . . . . .18 **B 1**
Montoire-sur-le-Loir . . . . .16 **A 3**
Montpellier . . . . .52 **B 2**
Montpezat-de-Quercy . . . . . .42 **B 2**
Montpezat-sous-Bauzon . . . .45 **C 1**
Montpon-Ménestérol . . . . . . .41 **D 1**
Montpont-en-Bresse . . . . . . .30 **A 3**
Montréal (Aude) . . . . .51 **C 2**
Montréal (Gers) . . . . .41 **D 3**
Montréal-la-Cluse . . . . .38 **A 1**
Montredon-Labessonnié . . . .51 **D 1**
Montréjeau . . . . .50 **A 2**
Montrésor . . . . .26 **B 2**
Montret . . . . .30 **A 3**
Montreuil . . . . .2 **B 2**
Montreuil-Bellay . . . . .25 **D 2**
Montrevault-sur-Èvre . . . . . . .25 **C 1**
Montrevel-en-Bresse . . . . . . .30 **A 3**
Montrichard-Val-de-Cher . . . .26 **B 1**
Montrond-les-Bains . . . . .37 **C 2**
Monts-sur-Guesnes . . . . .26 **A 2**
Montsalvy . . . . .43 **C 1**
Montsauche . . . . .29 **C 2**
Montsûrs . . . . .15 **C 2**
Morcenx . . . . .40 **B 3**
Mordelles . . . . .14 **A 3**
Morée . . . . .16 **B 3**
Morestel . . . . .38 **A 2**
Moret-Loing-et-Orvanne . . . .17 **D 2**
Moreuil . . . . .7 **D 2**
Morez . . . . .30 **B 3**

Morgat . . . . .12 **A 2**
Morhange . . . . .10 **B 3**
Morlaàs . . . . .49 **C 1**
Morlaix . . . . .12 **B 1**
Mormant . . . . .17 **D 1**
Mormoiron . . . . .45 **D 3**
Mornant . . . . .37 **C 2**
Morosaglia . . . . .55 **D 2**
Mortagne-au-Perche . . . . . . .16 **A 2**
Mortagne-sur-Gironde . . . . .32 **B 3**
Mortagne-sur-Sèvre . . . . .25 **C 2**
Mortain-Bocage . . . . .15 **C 1**
Morteau . . . . .31 **C 2**
Mortrée . . . . .15 **D 1**
Morzine . . . . .38 **B 1**
La Mothe-Achard . . . . .24 **B 3**
La Mothe-Saint-Héray . . . . . .25 **D 3**
La Motte-Chalancon . . . . .46 **A 2**
La Motte-du-Caire . . . . .46 **B 2**
Mouchard . . . . .30 **B 2**
Mougins . . . . .55 **C 1**
Mouilleron-en-Pareds . . . . . .25 **C 3**
Moulins . . . . .28 **B 3**
Moulins-Engilbert . . . . .29 **C 2**
Moulins-la-Marche . . . . .16 **A 1**
Moult . . . . .5 **D 3**
Mourenx . . . . .49 **C 1**
Mourmelon-le-Grand . . . . .9 **C 3**
Moustiers-Sainte-Marie . . . . .46 **B 3**
Mouthe . . . . .30 **B 3**
Mouthier . . . . .30 **B 2**
Mouthoumet . . . . .51 **D 2**
Moûtiers . . . . .38 **B 2**
Moutiers-les-Mauxfaits . . . . .24 **B 3**
Mouy . . . . .7 **D 3**
Mouzon . . . . .9 **D 2**
Moyenneville . . . . .2 **B 3**
Mugron . . . . .40 **B 3**
Mulhouse . . . . .21 **C 3**
Munster . . . . .21 **C 3**
Mur-de-Barrez . . . . .43 **D 1**
Mûr-de-Bretagne . . . . .13 **D 2**
Murat .35 **D 3**
Murat-sur-Vèbre . . . . .51 **D 1**
Murato . . . . .55 **D 2**
La Mure . . . . .46 **A 1**
Muret .50 **B 1**
Muro .55 **D 2**
Murol .35 **D 2**
Murviel-lès-Béziers . . . . .52 **A 2**
Mussidan . . . . .41 **D 1**

Mussy-sur-Seine . . . . .19 **C 3**
Le Muy . . . . .55 **C 1**
Muzillac . . . . .22 **B 2**

N

Nailloux . . . . .50 **B 1**
Najac .43 **C 2**
Nancy .20 **A 1**
Nangis . . . . .18 **A 2**
Nant . . . . .44 **A 3**
Nanterre . . . . .17 **C 1**
Nantes . . . . .23 **D 3**
Nanteuil-le-Haudouin . . . . . . .7 **D 3**
Nantiat . . . . .34 **A 1**
Nantua . . . . .38 **A 1**
La Napoule . . . . .55 **C 1**
Narbonne . . . . .52 **A 3**
Narbonne-Plage . . . . .52 **A 3**
Nasbinals . . . . .43 **D 1**
Naucelle . . . . .43 **C 2**
Navarrenx . . . . .48 **B 1**
Nay . . . . .49 **C 2**
Nègrepelisse . . . . .42 **B 3**
Nemours . . . . .17 **D 2**
Nérac .41 **D 3**
Néris-les-Bains . . . . .35 **D 1**
Néronde . . . . .37 **C 2**
Nérondes . . . . .28 **A 2**
Nesle . . . . .7 **D 2**
Le Neubourg . . . . .6 **B 3**
Neuf-Brisach . . . . .21 **D 2**
Neufchâteau . . . . .20 **A 2**
Neufchâtel-en-Bray . . . . .6 **B 2**
Neufchâtel-sur-Aisne . . . . .8 **B 3**
Neuillé-Pont-Pierre . . . . .26 **A 1**
Neuilly-en-Thelle . . . . .7 **D 3**
Neuilly-le-Réal . . . . .28 **B 3**
Neuilly-l'Évêque . . . . .19 **D 3**
Neuilly-Saint-Front . . . . .8 **A 3**
Neung-sur-Beuvron . . . . .27 **C 1**
La Neuve-Lyre . . . . .16 **A 1**
Neuves-Maisons . . . . .20 **A 1**
Neuvic (Corrèze) . . . . .33 **D 3**
Neuvic (Hérault) . . . . .35 **C 3**
Neuville . . . . .37 **D 2**
Neuville-aux-Bois . . . . .17 **C 3**
Neuville-de-Poitou . . . . .26 **A 3**
Neuvy-le-Roi . . . . .26 **B 1**
Neuvy-Saint-Sépulchre . . . . .27 **C 3**
Neuvy-sur-Barangeon . . . . . .27 **D 1**
Névache . . . . .39 **C 3**

A
B
C
D
E
F
G
H
I
J
K
L
M
N
O
P
Q
R
S
T
U
V
W
X
Y
Z

Nevers....................28 B 2
Nexon....................34 A 2
Nice......................47 D 3
Niederbronn-les-Bains......11 D 3
Nieul....................34 A 2
Nîmes....................45 C 3
Niort ....33 C 1
Nitry....................29 C 1
Noailles ....7 C 3
Nœux ....3 C 2
Nogaro...................41 C 3
Nogent ....19 D 3
Nogent-le-Roi............16 B 1
Nogent-le-Rotrou.........16 A 2
Nogent-sur-Seine.........18 A 2
Noirétable................36 B 2
Noirmoutier-en-l'Île .....23 C 3
Nolay....................29 D 2
Nomeny..................20 A 1
Nomexy..................20 B 2
Nonancourt..............16 B 1
Nonant-le-Pin ....15 D 1
Nontron..................33 D 2
Nonza...................55 D 1
Norrent-Fontes............3 C 2
Nort-sur-Erdre............23 D 2
Notre-Dame-
   de-Bellecombe.........38 B 2
Nouan-le-Fuzelier ....27 D 1
Nouvion-en-Ponthieu ......2 B 3
Le Nouvion-en-Thiérache...8 B 1
Nouzonville ....9 C 2
Noves...................45 D 3
Novion-Porcien............9 C 2
Noyant ....26 A 1
Noyers ....18 B 3
Noyers-sur-Jabron ....46 A 2
Noyon....................8 A 2
Nozay...................23 D 2
Nueil-les-Aubiers ....25 D 2
Nuits-Saint-Georges ......29 D 2
Nyons...................45 D 2

O

Oberhaslach..............21 C 1
Obernai ....21 C 1
Objat....................34 B 3
Offranville.................6 B 2
Oisemont...................2 B 3
Olargues ....52 A 2
Oletta...................55 D 2

Olette ....51 D 3
Olivet ....17 C 3
Les Ollières ....45 C 1
Olliergues ....36 B 2
Ollioules..................54 A 2
Olmeto..................55 D 3
Olonzac ....51 D 2
Oloron-Sainte-Marie......49 C 2
Onesse-Laharie...........40 B 3
Onzain..................26 B 1
Oradour-sur-Glane ....34 A 2
Oradour-sur-Vayres.......34 A 2
Oraison..................46 B 3
Orange..................45 D 3
Orbec ....6 A 3
Orbey ....21 C 2
Orchies....................3 D 2
Orcières ....46 B 1
Orcival ....35 D 2
Orgelet..................30 A 3
Orgères-en-Beauce........17 C 3
Orgon ....45 D 3
Origny-Sainte-Benoite......8 A 2
Orléans..................17 C 3
Orly ....17 D 1
Ornans ....30 B 2
Orpierre.................46 A 2
Orsay ....17 C 1
Orthez...................48 B 1
Ossun...................49 D 2
Ottmarsheim.............21 D 3
Ouarville ....17 C 2
Oucques ....16 B 3
Ouistreham...............5 D 2
Oulchy-le-Château ....8 A 3
Ourville-en-Caux ....6 A 2
Oust....................50 B 3
Ouzouer-le-Marché........16 B 3
Ouzouer-sur-Loire ....17 D 3
Oyonnax ....38 A 1

P

La Pacaudière ....36 B 1
Pacy-sur-Eure..............6 B 3
Pagny ....10 A 3
Paimbœuf................23 C 3
Paimpol ....13 D 1
Paladru ....38 A 2
Le Palais ....22 A 3
Palaiseau ....17 D 1
Palavas-les-Flots..........52 B 2

Palinges ....29 C 3
La Pallice ....32 B 1
Palluau ....24 B 2
Pamiers ....50 B 2
Paramé ....4 A 3
Paray-le-Monial ....29 C 3
Parentis-en-Born ....40 B 2
Paris....................17 D 1
Parthenay ....25 D 3
Pas-en-Artois ....3 C 3
Passais ....15 C 2
Patay ....17 C 3
Pau.....................49 C 2
Pauillac..................32 B 3
Paulhaguet...............36 A 3
Pavilly ....6 B 2
Payrac...................42 B 1
Le Péage-de-Roussillon....37 D 3
Peïra-Cava...............47 D 3
Pellegrue.................41 D 1
Le Pellerin ....23 C 3
Pélussin ....37 C 3
Pénestin.................22 B 2
Penne-d'Agenais ....42 A 2
Percy-en-Normandie ......4 B 3
Périers....................4 B 2
Périgueux ....34 A 3
Pernes-les-Fontaines.....45 D 3
Péronne ....3 C 3
Pérouges ....37 D 2
Perpignan ....57 C 2
Perreux..................36 B 1
Perros-Guirec............13 C 1
Le Perthus ....57 C 3
Pertuis ....54 A 1
Pervenchères.............16 A 2
Pesmes..................30 A 1
La Petite-Pierre ....21 C 1
Petite-Rosselle...........10 B 3
Petreto-Bicchisano ....55 D 3
Peyrat-le-Château ....34 B 2
Peyrehorade...............48 B 1
Peyriac-Minervois ....51 D 2
Peyrolles-en-Provence....54 A 1
Peyruis ....46 B 3
Pézenas ....52 A 2
Phalsbourg...............21 C 1
Piana ....55 C 3
Picquigny ....2 B 3
Piedicroce...............55 D 2
Piennes..................10 A 3

Pierre-Buffière	34 **B 2**	
Pierre-de-Bresse	30 **A 2**	
Pierrefitte-Nestalas	49 **D 2**	
Pierrefitte-sur-Aire	19 **D 1**	
Pierrefonds	8 **A 3**	
Pierrefontaine-les-Varans	31 **C 1**	
Pierrefort	43 **D 1**	
Pierrelatte	45 **D 2**	
Les Pieux	4 **B 2**	
Pilat-Plage	40 **A 1**	
Piney	19 **C 2**	
Pino	55 **D 1**	
Pinols	44 **A 1**	
Pionsat	35 **D 1**	
Pipriac	14 **A 3**	
Piriac-sur-Mer	22 **B 3**	
Pissos	40 **B 2**	
Pithiviers	17 **D 2**	
Plabennec	12 **A 1**	
La Plagne	39 **C 2**	
Plaisance	49 **D 1**	
Plan-d'Aups	54 **A 1**	
Les Planches-en-Montagne	30 **B 3**	
Plancoët	14 **A 1**	
Plateau-d'Assy	39 **C 1**	
Pleaux	35 **C 3**	
Pleine-Fougères	14 **B 1**	
Plélan-le-Grand	14 **A 3**	
Plélan-le-Petit	14 **A 2**	
Pléneuf-Val-André	13 **D 1**	
Plestin-les-Grèves	13 **C 1**	
Pleumartin	26 **B 3**	
Pleumeur-Bodou	13 **C 1**	
Pleyben	12 **B 2**	
Ploemeur	13 **C 3**	
Ploërmel	22 **B 1**	
Plœuc-sur-Lié	13 **D 2**	
Plombières-les-Bains	20 **B 3**	
Plonéour-Lanvern	12 **B 3**	
Plouagat	13 **D 1**	
Plouaret	13 **C 1**	
Plouay	13 **C 3**	
Ploubalay	14 **A 1**	
Ploudalmézeau	12 **A 1**	
Plouescat	12 **B 1**	
Plougasnou	12 **B 1**	
Plougastel-Daoulas	12 **B 2**	
Plougonven	13 **C 1**	
Plouguenast	13 **D 2**	
Plouha	13 **D 1**	
Plouigneau	13 **C 1**	

Ploumanac'h	13 **C 1**	
Plouzévédé	12 **B 1**	
Pluvigner	13 **D 3**	
Podensac	41 **C 1**	
Le Poiré-sur-Vie	24 **B 3**	
Poissons	19 **D 2**	
Poissy	17 **C 1**	
Poitiers	26 **A 3**	
Poix-de-Picardie	7 **C 2**	
Poix-Terron	9 **C 2**	
Poligny	30 **B 2**	
Poncin	37 **D 2**	
Pons	33 **C 2**	
Pont-à-Marcq	3 **D 2**	
Pont-à-Mousson	20 **A 1**	
Pont-Audemer	6 **A 3**	
Pont-Aven	12 **B 3**	
Pont-Château	23 **C 2**	
Pont-Croix	12 **A 2**	
Pont-d'Ain	37 **D 1**	
Le Pont-de-Beauvoisin	38 **A 2**	
Pont-de-Chéruy	37 **D 2**	
Le Pont-de-Claix	38 **A 3**	
Pont-de-Dore	36 **A 2**	
Pont-de-l'Arche	6 **B 3**	
Le Pont-de-Montvert	44 **B 2**	
Pont-de-Roide	31 **C 1**	
Pont-de-Salars	43 **D 2**	
Pont-de-Vaux	29 **D 3**	
Pont-de-Veyle	37 **D 1**	
Pont-d'Ouilly	5 **D 3**	
Pont-du-Château	36 **A 2**	
Pont-en-Royans	37 **D 3**	
Pont-l'Abbé	12 **B 3**	
Pont-l'Évêque	5 **D 2**	
Pont-Saint-Esprit	45 **C 2**	
Pont-Saint-Vincent	20 **A 1**	
Pont-Sainte-Maxence	7 **D 3**	
Pont-Scorff	13 **C 3**	
Pont-sur-Yonne	18 **A 2**	
Pontacq	49 **D 2**	
Pontailler-sur-Saône	30 **A 1**	
Pontarion	34 **B 1**	
Pontarlier	31 **C 2**	
Pontaubault	14 **B 1**	
Pontaumur	35 **D 2**	
Pontcharra	38 **A 3**	
Pontchartrain	17 **C 1**	
Ponte Leccia	55 **D 2**	
Le Pontet	45 **D 3**	
Pontfaverger-Moronvilliers	9 **C 3**	

Pontgibaud	35 **D 2**	
Pontigny	18 **B 3**	
Pontivy	13 **D 2**	
Pontlevoy	27 **C 1**	
Pontoise	7 **C 3**	
Pontorson	14 **B 1**	
Pontrieux	13 **C 1**	
Les Ponts-de-Cé	25 **D 1**	
Pontvallain	15 **D 3**	
Pornic	23 **C 3**	
Pornichet	22 **B 3**	
Porquerolles	54 **B 2**	
Port-Bail	4 **B 2**	
Port-Barcarès	57 **D 2**	
Port-Cros	54 **B 2**	
Port-de-Bouc	53 **D 2**	
Port-en-Bessin-Huppain	5 **C 2**	
Port-Joinville	24 **A 3**	
Port-la-Nouvelle	52 **A 3**	
Port-Leucate	57 **D 2**	
Port-Louis	13 **C 3**	
Port-Manech	12 **B 3**	
Port-Navalo	22 **B 2**	
Port-Saint-Louis-du-Rhône	53 **D 2**	
Port-Sainte-Marie	41 **D 2**	
Port-sur-Saône	20 **A 3**	
Port-Vendres	57 **D 3**	
La Porta	55 **D 2**	
Porto	55 **C 2**	
Porto-Vecchio	55 **D 3**	
Potigny	5 **D 3**	
Pouancé	14 **B 3**	
Pougues-les-Eaux	28 **A 2**	
Pouilly	36 **B 1**	
Pouilly-en-Auxois	29 **D 1**	
Pouilly-sur-Loire	28 **A 1**	
Le Pouldu	13 **C 3**	
Le Pouliguen	22 **B 3**	
Pouyastruc	49 **D 2**	
Pouzauges	25 **C 3**	
Le Pouzin	45 **D 1**	
Pra Loup	47 **C 2**	
Pradelles	44 **B 1**	
Prades	51 **D 3**	
Prahecq	33 **C 1**	
Pralognan-la-Vanoise	39 **C 3**	
Prats-de-Mollo-la-Preste	57 **C 3**	
Prauthoy	19 **D 3**	
Praz-sur-Arly	38 **B 2**	
Pré-en-Pail	15 **D 2**	
Précy-sous-Thil	29 **C 1**	

A
B
C
D
E
F
G
H
I
J
K
L
M
N
O
P
Q
R
S
T
U
V
W
X
Y
Z

Prémery....................28 **B** 2
Preuilly-sur-Claise ....26 **B** 2
La Primaube...............43 **D** 2
Primel-Trégastel...........12 **B** 1
Privas.....................45 **C** 1
Propriano ....55 **D** 3
Provenchères-sur-Fave .....21 **C** 2
Provins ....18 **A** 2
Puget-Théniers ....47 **C** 3
Puiseaux ....17 **D** 2
Puisserguier ....52 **A** 2
Pujols ....41 **C** 1
Putanges-Pont-Écrepin ......5 **D** 3
Putanges-le-Lac ....11 **C** 3
Le Puy-en-Velay ....44 **B** 1
Puy-Guillaume ....36 **A** 1
Puy-l'Évêque ....42 **A** 2
Puylaurens ....51 **C** 1
Puymirol ....42 **A** 3
Pyla-sur-Mer..............40 **A** 1

Q

Quarré-les-Tombes ....29 **C** 1
Quérigut ....51 **C** 3
Le Quesnoy...............3 **D** 3
Questembert..............13 **D** 3
Quettehou ....4 **B** 1
Quiberon.................22 **A** 2
Quillan ....51 **C** 3
Quillebeuf-sur-Seine........6 **A** 2
Quimper ....12 **B** 2
Quimperlé................13 **C** 3
Quingey..................30 **B** 2
Quintin..................13 **D** 2
Quissac..................44 **B** 3

R

Rabastens ....42 **B** 3
Rabastens-de-Bigorre .....49 **D** 1
Ramatuelle...............54 **B** 1
Rambervillers.............20 **B** 2
Rambouillet ....17 **C** 1
Rambucourt...............20 **A** 1
Randan...................36 **A** 1
Randanne ....35 **D** 2
Raon-l'Étape..............20 **B** 2
Raucourt-et-Flaba ....9 **D** 2
Rayol-Canadel-sur-Mer ....55 **C** 2
Réalmont.................43 **C** 3
Rebais...................18 **A** 1
Recey-sur-Ource...........19 **D** 3

Redon....................23 **C** 2
Reichshoffen ....11 **D** 3
Reignier-Esery.............38 **B** 1
Reillanne ....46 **A** 3
Reims ....8 **B** 3
Rémalard-en-Perche.......16 **A** 2
Remiremont..............20 **B** 3
Remoulins................45 **C** 2
Rémuzat..................44 **D** 2
Renazé ....14 **B** 3
Rennes ....14 **B** 2
Rennes-les-Bains ....51 **D** 2
Renwez...................9 **C** 2
La Réole..................41 **C** 2
Réquista..................43 **D** 3
Rethel ....9 **C** 2
Retiers...................14 **B** 3
Retournac ....36 **B** 3
Reuilly...................27 **D** 2
Revel ....51 **C** 1
Revigny ....19 **D** 1
Revin.....................9 **C** 1
Rhinau ....21 **D** 2
Riaillé ....23 **D** 2
Rians ....54 **A** 1
Ribeauvillé ....21 **C** 2
Ribécourt-Dreslincourt .....7 **D** 2
Ribemont ....8 **A** 2
Ribérac ....33 **D** 3
Ribiers...................46 **A** 2
Les Riceys ....19 **C** 3
Richelieu ....26 **A** 2
Riec-sur-Belon ....12 **B** 3
Rieumes ....50 **B** 1
Rieupeyroux..............43 **C** 2
Rieux-Volvestre...........50 **B** 2
Riez ....46 **B** 3
Rignac...................43 **C** 2
Riom ....35 **D** 2
Riom-ès-Montagnes.......35 **D** 3
Rioz ....30 **B** 1
Riquewihr ....21 **C** 2
Riscle....................49 **D** 1
Rive-de-Gier..............37 **C** 2
Rives ....38 **A** 3
Rivesaltes ....57 **C** 2
La Rivière-Thibouville......6 **A** 3
Roanne...................36 **B** 1
Rocamadour...............42 **B** 1
La Roche-Bernard ....23 **C** 2
La Roche-Canillac ....35 **C** 3

La Roche-Chalais ....33 **C** 3
La Roche-Derrien..........13 **C** 1
La Roche-Guyon............7 **C** 3
La Roche-Posay...........26 **B** 3
La Roche-sur-Foron........38 **B** 1
La Roche-sur-Yon ....24 **B** 3
Rochechouart ....34 **A** 2
Rochefort ....32 **B** 1
Rochefort-en-Terre ....23 **C** 2
Rochefort-Montagne ....35 **D** 2
Rochefort-sur-Nenon.......30 **A** 2
La Rochefoucauld ....33 **D** 2
La Rochelle ....32 **B** 1
Rochemaure...............45 **D** 2
La Rochepot...............29 **D** 2
Rocheservière ....24 **B** 2
La Rochette ....38 **B** 2
Rocroi ....9 **C** 1
Rodez ....43 **D** 2
Rohan ....13 **D** 2
Rohrbach-lès-Bitche.......11 **C** 3
Roisel.....................3 **D** 3
Roissy ....17 **D** 1
Romans-sur-Isère.........37 **D** 3
Rombas ....10 **A** 3
Romilly-sur-Seine.........18 **B** 2
Romorantin-Lanthenay....27 **C** 1
Ronce-les-Bains ....32 **B** 2
Ronchamp................20 **B** 3
La Roque-Gageac.........42 **A** 1
Roquebillière ....47 **D** 3
Roquebrun................52 **A** 2
Roquebrune-Cap-Martin ..47 **D** 3
La Roquebrussanne ....54 **B** 1
Roquecourbe.............51 **D** 2
Roquefort ....41 **C** 3
Roquefort-sur-Soulzon ....43 **D** 3
Roquemaure..............45 **D** 3
Roquesteron ....47 **C** 3
Roquevaire ....54 **A** 1
Rosans ....46 **A** 2
Roscoff ....12 **B** 1
Rosheim..................21 **C** 1
La Rosière 1850 ....39 **C** 2
Rosières-en-Santerre ....7 **D** 2
Les Rosiers-sur-Loire.......25 **D** 1
Rosporden ....12 **B** 3
Rostrenen ....13 **C** 2
Rothéneuf.................4 **A** 3
Roubaix...................3 **D** 2
Rouen....................6 **B** 3

Rouffach ....21 **C 3**
Rougé..............14 **B 3**
Rougemont ....30 **B 1**
Rougemont-le-Château ....21 **C 3**
Rouillac.................33 **C 2**
Roujan ....52 **A 2**
Roulans ....30 **B 1**
Les Rousses.............30 **B 3**
Royan ....32 **B 2**
Royat...............35 **D 2**
Roybon.................37 **D 3**
Roye.................7 **D 2**
Royère-de-Vassivière ......35 **C 2**
Rozay-en-Brie ....18 **A 1**
Le Rozier ....44 **A 3**
Rozoy-sur-Serre...........8 **B 2**
Rue...................2 **B 3**
Ruelle-sur-Touvre.........33 **D 2**
Ruffec ....33 **D 1**
Ruffieux ....38 **A 2**
Rugles ....16 **A 1**
Rumengol ....12 **B 2**
Rumigny ....8 **B 2**
Rumilly ....38 **A 2**
Ruoms..................45 **C 2**
Rupt-sur-Moselle ......20 **B 3**
Le Russey..............31 **C 2**
Ruynes-en-Margeride .....44 **A 1**

S

Saales ....21 **C 2**
Sablé-sur-Sarthe............15 **D 3**
Les Sables-d'Olonne........24 **B 3**
Sables-d'Or-les-Pins ....13 **D 1**
Sabres.................40 **B 3**
Saillagouse ....56 **B 3**
Saillans ....45 **D 1**
Sains ....8 **B 2**
Sains-du-Nord.............8 **B 1**
Saint-Affrique ....43 **D 3**
Saint-Agnant ....32 **B 2**
Saint-Agrève ....45 **C 1**
Saint-Aignan ....27 **C 1**
Saint-Aignan-sur-Roë.......14 **B 3**
Saint-Alban-sur-Limagnole .44 **A 1**
Saint-Amand-en-Puisaye ..28 **A 1**
Saint-Amand-les-Eaux ....3 **D 2**
Saint-Amand-Longpré......16 **B 3**
Saint-Amand-Montrond ..28 **A 3**
Saint-Amans...............44 **A 1**
Saint-Amans-des-Cots......43 **D 1**

Saint-Amans-Soult..........51 **D 1**
Saint-Amant-Roche-Savine .36 **B 2**
Saint-Amant-Tallende.......35 **D 2**
Saint-Amarin ....21 **C 3**
Saint-Ambroix............45 **C 2**
Saint-Amé................20 **B 3**
Saint-Amour...............30 **A 3**
Saint-André-de-Cubzac....41 **C 1**
Saint-André-de-l'Eure ......16 **B 1**
Saint-André-de-Valborgne..44 **B 3**
Saint-André-les-Alpes .....46 **B 3**
Saint-Anthème ....36 **B 2**
Saint-Antonin-Noble-Val...42 **B 3**
Saint-Arnoult-en-Yvelines ..17 **C 2**
Saint-Astier................33 **D 3**
Saint-Auban ....47 **C 3**
Saint-Aubin-d'Aubigné ...14 **B 2**
Saint-Aubin-du-Cormier ...14 **B 2**
Saint-Aubin-sur-Mer........5 **D 2**
Saint-Aulaye-Puymangou...33 **D 3**
Saint-Avold................10 **B 3**
Saint-Aygulf.............55 **C 1**
Saint-Béat ....50 **A 2**
Saint-Beauzély............43 **D 3**
Saint-Benin-d'Azy ....28 **B 2**
Saint-Benoît-du-Sault.......27 **C 3**
Saint-Benoît-sur-Loire ......17 **D 3**
Saint-Bertrand-
de-Comminges...........50 **A 2**
Saint-Blin.................19 **D 2**
Saint-Bonnet-de-Joux .....29 **D 3**
Saint-Bonnet-
en-Champsaur ....46 **B 1**
Saint-Bonnet-le-Château ..36 **B 3**
Saint-Brévin-les-Pins.......23 **C 3**
Saint-Briac-sur-Mer ....14 **A 1**
Saint-Brice-en-Coglès ......14 **B 2**
Saint-Brieuc ....13 **D 1**
Saint-Calais...............16 **A 3**
Saint-Cast ....14 **A 1**
Saint-Céré ....42 **B 1**
Saint-Cernin ....43 **C 1**
Saint-Chamas..............53 **D 2**
Saint-Chamond............37 **C 3**
Saint-Chély-d'Apcher.......44 **A 1**
Saint-Chély-d'Aubrac.......43 **D 2**
Saint-Chinian..............52 **A 2**
Saint-Ciers-sur-Gironde....32 **B 3**
Saint-Cirq-Lapopie ....42 **B 2**
Saint-Clair-sur-l'Elle.........5 **C 2**
Saint-Clar.................42 **A 3**

Saint-Claud...............33 **D 2**
Saint-Claude.............30 **B 3**
Saint-Cyprien.............42 **A 1**
Saint-Cyprien-Plage ....57 **D 3**
Saint-Denis...............17 **D 1**
Saint-Denis-d'Oléron ......32 **A 1**
Saint-Denis-d'Orques......15 **D 3**
Saint-Didier-en-Velay......37 **C 3**
Saint-Dié-des-Vosges......21 **C 2**
Saint-Dier-d'Auvergne ....36 **A 2**
Saint-Dizier...............19 **D 1**
Saint-Donat-sur-l'Herbasse .37 **D 3**
Saint-Éloy-les-Mines........35 **D 1**
Saint-Émilion ....41 **C 1**
Saint-Étienne..............37 **C 3**
Saint-Étienne-de-Baïgorry..48 **A 2**
Saint-Étienne-de-Lugdarès .44 **B 1**
Saint-Étienne-de-Montluc ..23 **C 3**
Saint-Étienne-
de-Saint-Geoirs ....37 **D 3**
Saint-Étienne-de-Tinée.....47 **C 2**
Saint-Étienne-en-Dévoluy .46 **A 1**
Saint-Étienne-les-Orgues ...46 **A 3**
Saint-Fargeau ....28 **A 1**
Saint-Félicien.............37 **C 3**
Saint-Firmin ....46 **B 1**
Saint-Florent ....55 **D 1**
Saint-Florent-le-Vieil.......25 **C 1**
Saint-Florent-sur-Cher .....27 **D 2**
Saint-Florentin ....18 **B 3**
Saint-Flour ....43 **D 1**
Saint-François-Longchamp .38 **B 3**
Saint-Fulgent.............25 **C 2**
Saint-Galmier.............37 **C 2**
Saint-Gaudens...........50 **A 2**
Saint-Gaultier ....27 **C 3**
Saint-Genest-Malifaux .....37 **C 3**
Saint-Gengoux-le-National .29 **D 3**
Saint-Geniez-d'Olt-
et-d'Aubrac ....43 **D 2**
Saint-Genis-de-Saintonge ..33 **C 3**
Saint-Genis-Laval..........37 **D 2**
Saint-Genix-sur-Guiers.....38 **A 2**
Saint-Geoire...............38 **A 3**
Saint-Georges-de-Didonne.32 **B 2**
Saint-Georges-en-Couzan ..36 **B 2**
Saint-Georges-sur-Loire ....25 **D 1**
Saint-Germain-
de-Calberte ....44 **B 2**
Saint-Germain-des-Fossés .36 **A 1**
Saint-Germain-du-Bois .....30 **A 3**

Saint-Germain-du-Plain ....29 **D 3**
Saint-Germain-du-Teil ......44 **A 2**
Saint-Germain-en-Laye ....17 **C 1**
Saint-Germain-Laval........36 **B 2**
Saint-Germain-Lembron....36 **A 3**
Saint-Germain-les-Belles ..34 **B 3**
Saint-Germain-l'Herm ......36 **B 3**
Saint-Gervais-d'Auvergne ..35 **D 1**
Saint-Gervais-les-Bains ....39 **C 1**
Saint-Gervais-
  les-Trois-Clochers ....26 **A 2**
Saint-Gervais-sur-Mare ....52 **A 2**
Saint-Géry................42 **B 2**
Saint-Gildas-de-Rhuys ......22 **B 3**
Saint-Gildas-des-Bois ......23 **C 2**
Saint-Gilles................53 **C 2**
Saint-Gilles-Croix-de-Vie...24 **B 3**
Saint-Gingolph.............31 **C 3**
Saint-Girons ....50 **B 2**
Saint-Girons-Plage.........40 **A 3**
Saint-Gobain...............8 **A 2**
Saint-Guénolé..............12 **A 3**
Saint-Guilhem-le-Désert...52 **B 2**
Saint-Haon-le-Châtel ....36 **B 1**
Saint-Herblain ....23 **D 3**
Saint-Hilaire ....51 **D 2**
Saint-Hilaire-de-Riez.......24 **B 3**
Saint-Hilaire-
  de-Villefranche............33 **C 2**
Saint-Hilaire-des-Loges.....25 **D 3**
Saint-Hilaire-du-Harcouët ..15 **C 1**
Saint-Hippolyte............31 **C 1**
Saint-Hippolyte-du-Fort...44 **B 3**
Saint-Honoré-les-Bains ....29 **C 2**
Saint-Jacques-de-la-Lande .14 **A 3**
Saint-Jacut-de-la-Mer......14 **A 1**
Saint-James................14 **B 2**
Saint-Jean-Brévelay........13 **D 3**
Saint-Jean-Cap-Ferrat......47 **D 3**
Saint-Jean-d'Angély ....33 **C 1**
Saint-Jean-de-Bournay.....37 **D 2**
Saint-Jean-de-Daye.........5 **C 2**
Saint-Jean-de-Losne.......30 **A 2**
Saint-Jean-de-Luz..........48 **A 1**
Saint-Jean-de-Maurienne..38 **B 3**
Saint-Jean-de-Monts ......24 **A 2**
Saint-Jean-du-Bruel ....44 **A 3**
Saint-Jean-du-Gard........44 **B 3**
Saint-Jean-en-Royans......37 **D 3**
Saint-Jean-Pied-de-Port ...48 **B 2**
Saint-Jeoire................38 **B 1**

Saint-Jouin-de-Marnes .....26 **A 2**
Saint-Juéry ....43 **C 3**
Saint-Julien................30 **A 3**
Saint-Julien-Chapteuil .....44 **B 1**
Saint-Julien-de-Vouvantes...23 **D 2**
Saint-Julien-du-Sault ......18 **A 3**
Saint-Julien-en-Genevois ..38 **A 1**
Saint-Julien-l'Ars...........26 **A 3**
Saint-Junien ....34 **A 2**
Saint-Just-en-Chaussée .....7 **D 2**
Saint-Just-en-Chevalet......36 **B 2**
Saint-Just-Saint-Rambert ...37 **C 3**
Saint-Justin ....41 **C 3**
Saint-Lary-Soulan ....49 **D 3**
Saint-Laurent-
  de-Chamousset ....37 **C 2**
Saint-Laurent-
  de-la-Salanque............57 **C 2**
Saint-Laurent-du-Pont.....38 **A 3**
Saint-Laurent-
  en-Grandvaux............30 **B 3**
Saint-Laurent-les-Bains ....44 **B 2**
Saint-Laurent-Médoc......32 **B 3**
Saint-Laurent-sur-Gorre ...34 **A 2**
Saint-Laurent-sur-Mer .....5 **C 2**
Saint-Laurent-sur-Sèvre...25 **C 2**
Saint-Léger-sous-Beuvray ..29 **C 2**
Saint-Léonard-de-Noblat...34 **B 2**
Saint-Lô ....5 **C 2**
Saint-Louis ....21 **D 3**
Saint-Loup-sur-Semouse ...20 **B 3**
Saint-Loup-sur-Thouet.....25 **D 3**
Saint-Lunaire ....14 **A 1**
Saint-Lys ....50 **B 1**
Saint-Macaire..............41 **C 2**
Saint-Maixent-l'École .....25 **D 3**
Saint-Malo.................14 **A 1**
Saint-Malo-de-la-Lande ....4 **B 3**
Saint-Mamet-la-Salvetat ...43 **C 1**
Saint-Mandrier-sur-Mer....54 **B 2**
Saint-Marcellin ....37 **D 3**
Saint-Mars-la-Jaille ....23 **D 2**
Saint-Martin-d'Auxigny ...27 **D 2**
Saint-Martin-de-Belleville ..38 **B 3**
Saint-Martin-de-Crau......53 **D 2**
Saint-Martin-de-Londres ..44 **B 3**
Saint-Martin-de-Ré.........32 **A 1**
Saint-Martin-de-Seignanx ..48 **A 1**
Saint-Martin-de-Valamas ..45 **C 1**
Saint-Martin-en-Bresse ....29 **D 2**
Saint-Martin-Vésubie ......47 **D 3**

Saint-Martory ....50 **A 2**
Saint-Mathieu ....34 **A 2**
Saint-Maximin-
  la-Sainte-Baume.........54 **A 1**
Saint-Médard-en-Jalles ....40 **B 1**
Saint-Méen-le-Grand ....14 **A 2**
Saint-Michel.................8 **B 1**
Saint-Michel-
  de-Maurienne............38 **B 3**
Saint-Michel-en-Grève......13 **C 1**
Saint-Michel-en-l'Herm.....25 **C 3**
Saint-Michel-
  Mont-Mercure............25 **C 2**
Saint-Mihiel ....19 **D 1**
Saint-Nazaire ....23 **C 3**
Saint-Nectaire ....35 **D 2**
Saint-Nicolas-d'Aliermont ...6 **B 2**
Saint-Nicolas-de-la-Grave ..42 **A 3**
Saint-Nicolas-de-Port......20 **B 1**
Saint-Nicolas-du-Pélem....13 **C 2**
Saint-Omer ....2 **B 1**
Saint-Pair-sur-Mer ....4 **B 3**
Saint-Palais ....48 **B 1**
Saint-Palais-sur-Mer ....32 **B 2**
Saint-Pardoux-la-Rivière ...34 **A 3**
Saint-Paul-Cap-de-Joux ...51 **C 1**
Saint-Paul-de-Fenouillet ...51 **D 3**
Saint-Paul-de-Vence.......47 **D 3**
Saint-Paul-sur-Ubaye ......47 **C 2**
Saint-Paul-Trois-Châteaux ..45 **D 2**
Saint-Paulien ....36 **B 3**
Saint-Pé-de-Bigorre ....49 **C 2**
Saint-Pée-sur-Nivelle ......48 **A 1**
Saint-Péray ....45 **D 1**
Saint-Père-en-Retz ....23 **C 3**
Saint-Philbert-
  de-Grand-Lieu............23 **D 3**
Saint-Pierre-d'Albigny .....38 **B 2**
Saint-Pierre-de-Chartreuse .38 **A 3**
Saint-Pierre-de-Chignac....34 **A 3**
Saint-Pierre-d'Oléron ......32 **A 1**
Saint-Pierre-Église...........4 **B 1**
Saint-Pierre-le-Moûtier ....28 **A 3**
Saint-Pierre-Quiberon .....22 **A 2**
Saint-Pierre-sur-Dives ......5 **D 3**
Saint-Pois..................5 **C 3**
Saint-Pol-de-Léon ....12 **B 3**
Saint-Pol-sur-Ternoise ......3 **C 2**
Saint-Pons-de-Thomières ..51 **D 1**
Saint-Porchaire ....32 **B 2**
Saint-Pourçan-sur-Sioule ..36 **A 1**

Saint-Privat....................35 C 3
Saint-Quay-Portrieux.......13 D 1
Saint-Quentin ....8 A 2
Saint-Rambert-d'Albon....37 D 3
Saint-Rambert-en-Bugey ...37 D 1
Saint-Raphaël.................55 C 1
Saint-Rémy-de-Provence ...45 D 3
Saint-Rémy-sur-Durolle.....36 B 2
Saint-Renan ....12 A 1
Saint-Riquier ....2 B 3
Saint-Romain-de-Colbosc ...6 A 2
Saint-Rome-de-Tarn ....43 D 3
Saint-Saëns.................6 B 2
Saint-Satur ....28 A 1
Saint-Saulge................28 B 2
Saint-Sauveur-en-Puisaye...28 B 1
Saint-Sauveur-le-Vicomte...4 B 2
Saint-Sauveur-Lendelin...4 B 2
Saint-Sauveur-sur-Tinée ...47 C 3
Saint-Savin (Gironde) ......33 C 3
Saint-Savin (Vienne) ....26 B 3
Saint-Savinien ....32 B 2
Saint-Seine-l'Abbaye ....29 D 1
Saint-Sernin-sur-Rance ....43 D 3
Saint-Servan-sur-Mer ......14 A 1
Saint-Sever ....40 B 3
Saint-Sever-Calvados ....5 C 3
Saint-Sulpice-les-Feuilles ...34 B 1
Saint-Symphorien...........41 C 2
Saint-Symphorien-de-Lay ...37 C 1
Saint-Symphorien-d'Ozon ...37 D 2
Saint-Symphorien-
   sur-Coise.................37 C 2
Saint-Thégonnec-
Loc-Eguiner ....12 B 1
Saint-Trivier-de-Courtes ...30 A 3
Saint-Trivier-sur-Moignans ...37 D 1
Saint-Trojan-les-Bains.......32 B 2
Saint-Tropez.................55 C 1
Saint-Vaast-la-Hougue......4 B 1
Saint-Valery-en-Caux ......6 A 2
Saint-Valery-sur-Somme .....2 A 3
Saint-Vallier.................37 D 3
Saint-Vallier-de-Thiey......47 C 3
Saint-Varent ....25 D 2
Saint-Vaury.................34 B 1
Saint-Véran ....47 C 3
Saint-Vincent-de-Tyrosse ...48 B 1
Saint-Vivien-de-Médoc ...32 B 3
Saint-Wandrille ....6 A 2
Saint-Yorre ....36 A 1

Saint-Yrieix-la-Perche.......34 A 3
Sainte-Adresse ....5 D 2
Sainte-Anne-d'Auray ....13 D 3
Sainte-Croix-du-Mont ....41 C 2
Sainte-Croix-Volvestre.....50 B 2
Sainte-Enimie ....44 A 2
Sainte-Foy-la-Grande.......41 D 1
Sainte-Foy-l'Argentière ....37 C 2
Sainte-Geneviève-
   sur-Argence ....43 D 1
Sainte-Hélène ....40 B 1
Sainte-Hermine ....25 C 3
Sainte-Livrade-sur-Lot....41 D 2
Sainte-Lucie-de-Tallano ...55 D 3
Sainte-Marie-aux-Mines ...21 C 2
Sainte-Maure-de-Touraine..26 B 2
Sainte-Maxime ....55 C 1
Sainte-Menehould..........9 C 3
Sainte-Mère-Église ....4 B 2
Sainte-Sévère-sur-Indre....27 D 3
Sainte-Suzanne-
   et-Chammes ....15 D 3
Sainte-Tulle.................46 A 3
Saintes......................32 B 2
Saintes-Maries-de-la-Mer...53 C 2
Saissac ....51 C 1
Salbris......................27 D 1
Salernes....................54 B 1
Salers.......................35 C 3
Salies-de-Béarn............48 B 1
Salies-du-Salat.............50 A 2
Salignac-Eyvigues ....42 B 3
Salindres...................45 C 3
Salins.......................30 B 2
Sallanches..................38 B 1
Salles-Curan ....43 D 3
Salles-sur-l'Hers ....51 C 1
Salon-de-Provence ....53 D 2
Salses-le-Château...........57 C 2
Salvagnac ....42 B 3
La Salvetat-Peyralès ....43 C 2
La Salvetat-sur-Agout......51 D 1
Salviac.....................42 A 1
Samatan....................50 A 1
Samer ....2 B 2
Samoëns ....39 C 1
Sanary-sur-Mer ....54 A 2
Sancergues.................28 A 2
Sancerre....................28 A 1
Sancoins ....28 A 3
Sanguinet ....40 B 2

Santa-Maria-Siché ....55 D 3
Santo-Pietro-di-Tenda.....55 D 2
Saorge ....47 D 3
Saramon ....50 A 1
Sarcelles....................17 D 1
Sari-d'Orcino ....55 D 2
Sarlat-la-Canéda............42 A 1
Sarralbe ....11 C 3
Sarre-Union ....11 C 3
Sarrebourg ....21 C 1
Sarreguemines ....11 C 3
Sars-Poteries ....8 B 1
Sartène.....................55 D 3
Sartilly-Baie-Bocage........4 B 3
Sarzeau.....................22 B 2
Sassenage ....38 A 3
Satillieu ....37 C 1
Satolas ....37 D 2
Saugues ....44 B 1
Saujon......................32 B 2
Saulieu ....29 C 1
Sault ....46 A 3
Saulx ....20 B 3
Saulxures-sur-Moselotte...20 B 3
Saumur.....................26 A 1
Sauve ....44 B 3
Sauveterre-de-Béarn ......48 B 1
Sauveterre-de-Guyenne...41 C 1
Sauveterre-de-Rouergue ...43 C 2
Sauxillanges................36 A 2
Le Sauze....................47 C 2
Sauzé-Vaussais ....33 D 1
Sauzon ....22 A 2
Savenay ....23 C 3
Saverdun ....50 B 2
Saverne ....21 C 1
Savignac-les-Églises ....34 A 3
Savigny-sur-Braye ....16 A 3
Savines-le-Lac ....46 B 2
Scaër ....12 B 2
Scey-sur-Saône ....20 A 3
Schirmeck ....21 C 1
Seclin ....3 D 2
Secondigny.................25 D 3
Sedan ....9 D 2
Séderon....................46 A 2
Seebach ....11 D 3
Sées ....15 D 1
Segonzac...................33 C 2
Segré.......................15 C 3
Seiches-sur-le-Loir.........25 D 1

A
B
C
D
E
F
G
H
I
J
K
L
M
N
O
P
Q
R
S
T
U
V
W
X
Y
Z

Seignelay . . . . .18 **B 3**
Seilhac . . . . .34 **B 3**
Seissan . . . . .50 **A 1**
Sélestat . . . . .21 **C 2**
Selles-sur-Cher . . . . .27 **C 1**
Sellières . . . . .30 **A 2**
Selommes . . . . .16 **B 3**
Selongey . . . . .30 **A 1**
Seltz .11 **D 3**
Semur-en-Auxois . . . . .29 **C 1**
Semur-en-Brionnais . . . . . . .36 **B 1**
Sénas . . . . .53 **D 1**
Senez . . . . .46 **B 3**
Senlis .7 **D 3**
Sennecey-le-Grand . . . . .29 **D 3**
Senonches . . . . .16 **B 2**
Senones . . . . .21 **C 2**
Sens .18 **A 2**
Sépeaux-Saint-Romain . . . . .18 **A 3**
Sermaize-les-Bains . . . . .19 **D 1**
Serres . . . . .46 **A 2**
Serrières . . . . .37 **D 3**
Servian . . . . .52 **A 2**
Sète .52 **B 2**
Les Settons . . . . .29 **C 2**
Seurre . . . . .30 **A 2**
Sévérac-d'Aveyron . . . . .43 **D 2**
Sévrier . . . . .38 **B 1**
Seyches . . . . .41 **D 2**
La Seyne . . . . .54 **B 2**
Seyne . . . . .46 **B 2**
Seyssel . . . . .38 **A 1**
Sézanne . . . . .18 **B 1**
Sierck-les-Bains . . . . .10 **B 2**
Sierentz . . . . .21 **D 3**
Sigean . . . . .52 **A 3**
Signy-l'Abbaye . . . . .9 **C 2**
Sillé-le-Guillaume . . . . .15 **D 2**
Sissonne . . . . .8 **B 2**
Sisteron . . . . .46 **B 2**
Six-Fours-les-Plages . . . . .54 **A 2**
Sizun .12 **B 2**
Soccia . . . . .55 **D 2**
Sochaux . . . . .31 **C 1**
Soissons . . . . .8 **A 3**
Solenzara . . . . .55 **D 3**
Solesmes (Nord) . . . . .3 **D 3**
Solesmes (Sarthe) . . . . .15 **D 2**
Solignac . . . . .34 **A 2**
Solignac-sur-Loire . . . . .44 **B 1**
Solliès-Pont . . . . .54 **B 2**

Solre-le-Château . . . . .8 **B 1**
Sombernon . . . . .29 **D 1**
Sommesous . . . . .18 **B 1**
Sommières . . . . .45 **C 3**
Songeons . . . . .7 **C 2**
Sore . . . . .40 **B 2**
Sorgues . . . . .45 **D 3**
Sospel . . . . .47 **D 3**
Souesmes . . . . .27 **D 1**
Soufflenheim . . . . .21 **D 1**
Souillac . . . . .42 **B 1**
Souilly .9 **D 3**
Soulac-sur-Mer . . . . .32 **B 2**
Soulaines-Dhuys . . . . .19 **C 2**
Soultz-Haut-Rhin . . . . .21 **C 3**
Soultz-sous-Forêts . . . . .11 **D 3**
Souppes-sur-Loing . . . . .17 **D 2**
Sourdeval . . . . .5 **C 3**
Sournia . . . . .51 **D 3**
Sousceyrac . . . . .43 **C 1**
Soustons . . . . .40 **A 3**
La Souterraine . . . . .34 **B 1**
Souvigny . . . . .28 **B 3**
Spincourt . . . . .10 **A 3**
Steenvoorde . . . . .3 **C 1**
Stenay .9 **D 2**
Strasbourg . . . . .21 **D 1**
Suippes . . . . .9 **C 3**
Sully-sur-Loire . . . . .17 **D 3**
Super-Besse . . . . .35 **D 3**
Surgères . . . . .32 **B 1**
Survilliers . . . . .7 **D 3**
La Suze-sur-Sarthe . . . . .15 **D 3**

T

Tain-l'Hermitage . . . . .37 **D 3**
Tallard . . . . .46 **B 2**
Talloires-Montmin . . . . .38 **B 2**
Talmont-Saint-Hilaire . . . . . .24 **B 3**
Taninges . . . . .38 **B 1**
Tanlay . . . . .18 **B 3**
Tarare . . . . .37 **C 2**
Tarascon . . . . .45 **C 3**
Tarascon-sur-Ariège . . . . . . .50 **B 3**
Tarbes . . . . .49 **D 2**
Tardets-Sorholus . . . . .48 **B 2**
Targon . . . . .41 **C 1**
Tarnos . . . . .48 **A 1**
Tartas . . . . .40 **A 3**
Tassin . . . . .37 **C 2**
Taulé .12 **B 1**

Tauves . . . . .35 **D 2**
Tavaux . . . . .30 **A 2**
Tavernes . . . . .54 **B 1**
Le Teil . . . . .45 **C 2**
Le Teilleul . . . . .15 **C 2**
Tence .37 **C 3**
Tende .47 **D 2**
Tergnier . . . . .8 **A 2**
Terrasson-Lavilledieu . . . . . .34 **A 3**
Terrenoire . . . . .37 **C 3**
Tessy-Bocage . . . . .5 **C 3**
La Teste-de-Buch . . . . .40 **A 1**
Thann . . . . .21 **C 3**
Thaon . . . . .20 **B 2**
Le Theil . . . . .16 **A 2**
Thénezay . . . . .26 **A 3**
Thenon . . . . .34 **A 3**
Théoule-sur-Mer . . . . .55 **C 1**
Thérouanne . . . . .2 **B 2**
Thèze .49 **C 1**
Thiaucourt-Regniéville . . . . .10 **A 3**
Thiberville . . . . .6 **A 3**
Thiéblemont-Farémont . . . . .19 **C 1**
Thiers .36 **A 2**
Le Thillot . . . . .20 **B 3**
Thionville . . . . .10 **A 3**
Thiron-Gardais . . . . .16 **B 2**
Thiviers . . . . .34 **A 3**
Thizy-les-Bourgs . . . . .37 **C 1**
Thoissey . . . . .37 **D 1**
Thollon . . . . .31 **C 3**
Thônes . . . . .38 **B 1**
Thonon . . . . .31 **C 3**
Thorens-Glières . . . . .38 **B 1**
Thouarcé . . . . .25 **D 1**
Thouars . . . . .25 **D 2**
Thueyts . . . . .45 **C 1**
Thuir .51 **D 3**
Thury-Harcourt . . . . .5 **D 3**
Tiercé .25 **D 1**
Tignes . . . . .39 **C 2**
Tillières-sur-Avre . . . . .16 **B 1**
Tilly-sur-Seulles . . . . .5 **C 2**
Tinchebray . . . . .5 **C 3**
Tinténiac . . . . .14 **A 2**
Tombebœuf . . . . .41 **D 2**
Tonnay-Boutonne . . . . .32 **B 1**
Tonnay-Charente . . . . .32 **B 1**
Tonneins . . . . .41 **D 2**
Tonnerre . . . . .18 **B 3**
Torcy .17 **D 1**

Torigny-les-Villes	5 C 3	
Tôtes	6 B 2	
Toucy	18 A 3	
Toul	20 A 1	
Toulon	54 B 2	
Toulon-sur-Arroux	29 C 3	
Toulouse	50 B 1	
Le Touquet-Paris-Plage	2 A 2	
La Tour-d'Auvergne	35 D 2	
La Tour-du-Pin	38 A 2	
La Tour-Fondue	54 B 2	
Tourcoing	3 D 2	
Tournan-en-Brie	17 D 1	
Tournay	49 D 2	
Tournon-d'Agenais	42 A 2	
Tournon-Saint-Martin	26 B 3	
Tournon-sur-Rhône	37 D 3	
Tournus	29 D 3	
Tourouvre-au-Perche	16 A 1	
Tours	26 B 1	
Toury	17 C 2	
La Toussuire	38 B 3	
Le Touvet	38 A 3	
La Tranche-sur-Mer	24 B 3	
Le Trayas	55 C 1	
Trébeurden	13 C 1	
Tréboul	12 B 2	
Treffort	37 D 1	
Trégastel	13 C 1	
Tréguier	13 C 1	
Treignac	34 B 2	
Trélon	8 B 1	
La Tremblade	32 B 2	
Le Tréport	2 A 3	
Trets	54 A 1	
Trèves	44 A 3	
Trévières	5 C 2	
Trévoux	37 D 1	
Triaucourt-en-Argonne	9 D 3	
Trie-sur-Baïse	49 D 1	
La Trimouille	26 B 3	
La Trinité	22 A 2	
La Trinité-Porhoët	13 D 2	
Troarn	5 D 2	
Les Trois-Épis	21 C 2	
Les Trois-Moutiers	26 A 2	
Troo	16 A 3	
Trouville-sur-Mer	5 D 2	
Troyes	18 B 2	
Truchtersheim	21 D 1	
Trun	5 D 3	
Tuchan	51 D 3	
Tuffé-Val-de-la-Chéronne	16 A 3	
Tulle	34 B 3	
Tullins	38 A 3	
La Turballe	22 B 3	
La Turbie	47 D 3	
Turckheim	21 C 2	
Turriers	46 B 2	

U

Uckange	10 A 3	
Ugine	38 B 2	
Urdos	49 C 3	
Urepel	48 A 2	
Uriage	38 A 3	
Ury	17 D 2	
Ussat	50 B 3	
Ussel	35 C 2	
Ustaritz	48 A 1	
Utelle	47 D 3	
Uzel	13 D 2	
Uzerche	34 B 3	
Uzès	45 C 3	

V

Vabre	51 D 1	
Vagney	20 B 3	
Vaiges	15 C 3	
Vailly-sur-Aisne	8 A 3	
Vailly-sur-Sauldre	28 A 1	
Vaison-la-Romaine	45 D 2	
Le Val-André	13 D 1	
Le Val-d'Ajol	20 B 3	
Val-de-Reuil	6 B 3	
Val-d'Isère	39 C 2	
Val-Thorens	38 B 3	
Valberg	47 C 3	
Valbonnais	46 A 1	
Valdahon	31 C 2	
Valderiès	43 C 3	
Valençay	27 C 2	
Valence	45 D 1	
Valence-d'Agen	42 A 3	
Valence-d'Albigeois	43 C 3	
Valence-sur-Baïse	41 D 3	
Valenciennes	3 D 2	
Valensole	46 B 3	
Valentigney	31 C 1	
Valgorge	45 C 2	
Valleraugue	44 B 3	
Vallet	23 D 3	
Valloire	38 B 3	
Vallon-en-Sully	28 A 3	
Vallon-Pont-d'Arc	45 C 2	
Vallorcine	39 C 1	
Vallouise	46 B 1	
Valmont	6 A 2	
Valmorel	38 B 2	
Valognes	4 B 2	
Valras-Plage	52 A 3	
Valréas	45 D 2	
Vals-les-Bains	45 C 1	
Vannes	13 D 3	
Les Vans	45 C 2	
Vaour	42 B 3	
Varades	25 C 1	
Varengeville-sur-Mer	6 B 1	
Varennes-en-Argonne	9 D 3	
Varennes-sur-Allier	36 A 1	
Varennes-sur-Amance	20 A 3	
Varilhes	50 B 2	
Vars	47 C 1	
Varzy	28 B 1	
Vassieux-en-Vercors	45 D 1	
Vassy	5 C 3	
Vatan	27 C 2	
Vatry	19 C 1	
Vaucouleurs	20 A 1	
Vauvert	53 C 2	
Vauvillers	20 A 3	
Vayrac	42 B 1	
Vélines	41 D 1	
Venaco	55 D 2	
Venarey-les-Laumes	29 D 1	
Vence	47 D 3	
Vendeuvre	19 C 2	
Vendôme	16 B 3	
Verberie	7 D 3	
Vercel-Villedieu	31 C 1	
Le Verdon-sur-Mer	32 B 2	
Verdun	9 D 3	
Verdun-sur-Garonne	42 A 3	
Verdun-sur-le-Doubs	29 D 2	
Verfeil	50 B 1	
Vergt	42 A 1	
Vermand	8 A 2	
Vermenton	28 B 1	
Vernet-les-Bains	51 D 3	
Verneuil-sur-Avre	16 B 1	
Vernon	6 B 3	
Vernoux-en-Vivarais	45 C 1	
Verny	10 A 3	

A
B
C
D
E
F
G
H
I
J
K
L
M
N
O
P
Q
R
S
T
U
V
W
X
Y
Z

La Verpillière	37 **D 2**
Versailles	17 **C 1**
Verteillac	33 **D 3**
Vertus	18 **B 1**
Vervins	8 **B 2**
Verzy	8 **B 3**
Vescovato	55 **D 2**
Vesoul	20 **A 3**
Veules-les-Roses	6 **A 2**
Veulettes-sur-Mer	6 **A 2**
Veynes	46 **A 2**
Veyre	36 **A 2**
Veyrier	38 **B 1**
Vézelay	28 **B 1**
Vézelise	20 **A 2**
Vézénobres	45 **C 3**
Vézins-de-Lévézou	43 **D 2**
Vezzani	55 **D 2**
Vias	52 **A 3**
Vibraye	16 **A 3**
Vic-en-Bigorre	49 **D 1**
Vic-Fezensac	41 **D 3**
Vic-le-Comte	36 **A 2**
Vic-sur-Aisne	8 **A 3**
Vic-sur-Cère	43 **D 1**
Vicdessos	50 **B 3**
Vichy	36 **A 1**
Vico	55 **D 2**
Vidauban	54 **B 1**
Vielle-Aure	49 **D 3**
Vielmur-sur-Agout	51 **C 1**
Vienne	37 **D 2**
Vierzon	27 **D 2**
Vieux-Boucau-les-Bains	40 **A 3**
Vif	38 **A 3**
Le Vigan	44 **B 3**
Vigeois	34 **B 3**
Les Vignes	44 **A 2**
Vigneulles	10 **A 3**
Vignory	19 **D 2**
Vihiers	25 **D 2**
Villaines-la-Juhel	15 **D 2**
Villandraut	41 **C 2**
Villandry	26 **A 1**
Villard-de-Lans	38 **A 3**
Villars-les-Dombes	37 **D 1**
Villé	21 **C 2**
Ville-en-Tardenois	8 **B 3**
Ville-sur-Tourbe	9 **C 3**
Villebois-Lavalette	33 **D 3**
La Villedieu-du-Clain	26 **A 3**
Villedieu-les-Poêles-Rouffigny	4 **B 3**
Villefagnan	33 **D 1**
Villefort	44 **B 2**
Villefranche-d'Albigeois	43 **C 3**
Villefranche-de-Lauragais	51 **C 1**
Villefranche-de-Lonchat	41 **D 1**
Villefranche-de-Rouergue	43 **C 2**
Villefranche-du-Périgord	42 **A 2**
Villefranche-sur-Cher	27 **C 1**
Villefranche-sur-Mer	47 **D 3**
Villefranche-sur-Saône	37 **C 1**
Villemur-sur-Tarn	42 **B 3**
Villenauxe-la-Grande	18 **A 1**
Villeneuve	43 **C 2**
Villeneuve d'Ascq	3 **D 2**
Villeneuve-de-Berg	45 **C 2**
Villeneuve-de-Marsan	41 **C 3**
Villeneuve-l'Archevêque	18 **A 2**
Villeneuve-lès-Avignon	45 **D 3**
Villeneuve-sur-Lot	41 **D 2**
Villeneuve-sur-Yonne	18 **A 3**
Villeréal	42 **A 1**
Villers-Bocage (Calvados)	5 **C 3**
Villers-Bocage (Somme)	2 **B 3**
Villers-Bretonneux	7 **D 2**
Villers-Cotterêts	8 **A 3**
Villers-Farlay	30 **B 2**
Villers-le-Lac	31 **C 2**
Villers-sur-Mer	5 **D 2**
Villersexel	31 **C 1**
Villerupt	10 **A 2**
Villerville	5 **D 2**
Villiers-Saint-Georges	18 **A 1**
Vimoutiers	5 **D 3**
Vinay	37 **D 3**
Vinça	51 **D 3**
Vire-Normandie	5 **C 3**
Vireux-Wallerand	9 **C 1**
Virieu	38 **A 2**
Virieu-le-Grand	38 **A 2**
Vitré	14 **B 2**
Vitrey-sur-Mance	20 **A 3**
Vitrolles	53 **D 2**
Vitry-en-Artois	3 **C 2**
Vitry-le-François	19 **C 1**
Vitteaux	29 **D 1**
Vittel	20 **A 2**
Viverols	36 **B 3**
Le Vivier-sur-Mer	14 **A 1**
Viviers	45 **C 2**
Vivonne	26 **A 3**
Vizille	38 **A 3**
Vizzavona	55 **D 2**
Void-Vacon	20 **A 1**
Voiron	38 **A 3**
Voiteur	30 **A 3**
Volmunster	11 **C 3**
Volonne	46 **B 3**
Volvic	35 **D 2**
Volx	46 **A 3**
Vonnas	37 **D 1**
Voreppe	38 **A 3**
Vorey	36 **B 3**
Vouillé	26 **A 3**
La Voulte-sur-Rhône	45 **D 1**
Vouvant	25 **C 3**
Vouvray	26 **B 1**
Vouziers	9 **C 3**
Voves	17 **C 2**

W

Wangenbourg	21 **C 1**
La Wantzenau	21 **D 1**
Wasselonne	21 **C 1**
Wassigny	3 **D 3**
Wassy	19 **D 2**
Wimereux	2 **A 1**
Wintzenheim	21 **C 2**
Wissant	2 **B 1**
Wissembourg	11 **D 3**
Wœrth	11 **D 3**
Woippy	10 **A 3**
Wormhout	3 **C 1**

X - Y - Z

Xertigny	20 **B 3**
Yenne	38 **A 2**
Yerville	6 **B 2**
Yport	6 **A 2**
Yssingeaux	36 **B 3**
Yvetot	6 **A 2**
Yvoire	31 **C 3**
Yzeure	28 **B 3**
Zicavo	55 **D 3**
Zonza	55 **D 3**

Légende

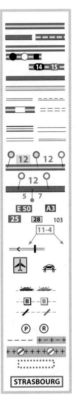

Routes
Autoroute
Route-auto - Autoroute et assimilée
Double chaussée de type autoroutier
Échangeurs : complet, partiels, sans précision
Numéros d'échangeurs
Itinéraire principal recommandé par MICHELIN
Itinéraire régional ou de dégagement recommandé par MICHELIN
Route revêtue - non revêtue
Autoroute - Route en construction
Largeur des routes
Chaussées séparées - 2 voies larges
2 voies - 2 voies étroites
Distances (totalisées et partielles)
Sur autoroute en kilomètres
Section à péage - Section libre

Sur route en kilomètres
Numérotation - Signalisation
Route européenne - Autoroute
Autres routes
Alertes Sécurité
Enneigement : période probable de fermeture
Forte déclivité - Barrière de péage
Transports
Aéroport - Auto/Train
Transport des autos : liaison permanente - saisonnière
par bateau
par bac
Bac pour piétons et cycles
Administration
Capitale de division administrative
Limites administratives
Frontière - Douane principale - Douane avec restriction
Zone interdite aux étrangers / Zone militaire
Lieux touristiques
Sites classés 2 et 3 étoiles par le Guide Vert MICHELIN